KB087207

#수학첫단계
#리더공부비법
#개념과연산을 한번에
#학원에서검증된문제집

수학리더
개념

Chunjae Makes Chunjae

▼

기획총괄	박금옥
편집개발	윤경옥, 박초아, 조선현, 조은영, 김연정, 김수정, 김유림, 남태희, 이혜지
디자인총괄	김희정
표지디자인	윤순미, 박민정
내지디자인	박희춘, 조유정
제작	황성진, 조규영

발행일	2019년 5월 15일 2판 2022년 4월 1일 4쇄
발행인	(주)천재교육
주소	서울시 금천구 가산로9길 54
신고번호	제2001-000018호
고객센터	1577-0902
교재 구입 문의	1522-5566

※ 이 책은 저작권법에 보호받는 저작물이므로 무단복제, 전송은 법으로 금지되어 있습니다.

※ 정답 분실 시에는 천재교육 홈페이지에서 내려받으세요.

※ KC 마크는 이 제품이 공통안전기준에 적합하였음을 의미합니다.

※ 주의

책 모서리에 다칠 수 있으니 주의하시기 바랍니다.

부주의로 인한 사고의 경우 책임지지 않습니다.

8세 미만의 어린이는 부모님의 관리가 필요합니다.

수학 리더 개념 5-2

BOOK 1

나는 그 누구보다도 실수를 많이 한다.
그리고 그 실수들 대부분에서
특허를 받아낸다.

I make more mistakes than anybody
and get a patent from those mistakes.

토마스 에디슨

실수는 '이제 난 안돼, 끝났어'라는 의미가 아니에요.
성공에 한 발자국 가까이 다가갔으니, 더 도전해 보면 성공할 수 있다는
메시지랍니다. 그러니 실수를 두려워하지 마세요.

이 책의 구성과 특징

Book 1
개념 기본서

1단계 개념 빠삭

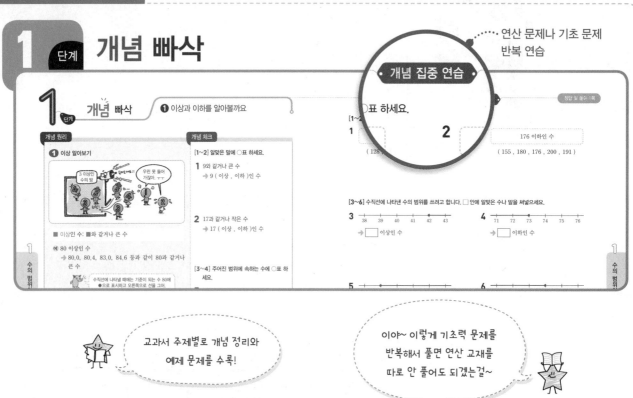

연산 문제나 기초 문제 반복 연습

교과서 주제별로 개념 정리와 예제 문제를 수록!

이야~ 이렇게 기초력 문제를 반복해서 풀면 연산 교재를 따로 안 풀어도 되겠는걸~

2단계 익힘책 빠삭

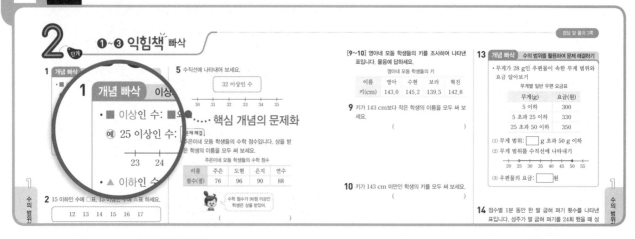

1단계에서 연습한 2~3가지 주제에 대한 익힘책 문제를 풀 수 있어.

핵심 문제를 반복해서 풀다 보면 기초가 탄탄해 지겠어~

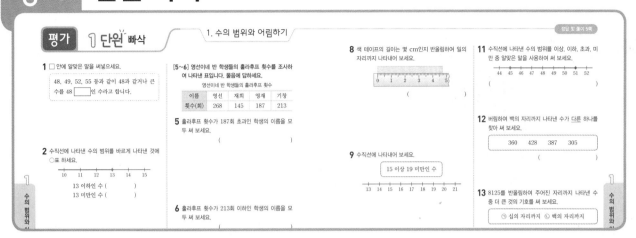

1 □ 안에 알맞은 말을 써넣으세요.

> 48, 49, 52, 55 등과 같이 48과 같거나 큰 수를 48 □ 인 수라고 합니다.

2 수직선에 나타낸 수의 범위를 바르게 나타낸 것에 ○표 하세요.

> 13 이하인 수 ( )
> 13 미만인 수 ( )

[5~6] 영선이네 반 학생들의 훌라후프 횟수를 조사하여 나타낸 표입니다. 물음에 답하세요.

영선이네 반 학생들의 훌라후프 횟수

이름	영선	재희	영재	기장
횟수(회)	268	145	187	213

5 훌라후프 횟수가 187회 초과인 학생의 이름을 모두 써 보세요.

> ( )

6 훌라후프 횟수가 213회 이하인 학생의 이름을 모두 써 보세요.

> ( )

8 색 테이프의 길이는 몇 cm인지 반올림하여 일의 자리까지 나타내어 보세요.

> ( )

9 수직선에 나타내어 보세요.

> 15 이상 19 미만인 수

11 수직선에 나타낸 수의 범위를 이상, 이하, 초과, 미만 중 알맞은 말을 사용하여 써 보세요.

> ( )

12 버림하여 백의 자리까지 나타낸 수가 다른 하나를 찾아 써 보세요.

> | 360 | 428 | 387 | 305 |
>
> ( )

13 8125를 반올림하여 주어진 자리까지 나타낸 수 중 더 큰 것의 기호를 써 보세요.

> ㉠ 십의 자리까지 ㉡ 백의 자리까지

> 개념을 얼마나 이해했는지 평가해 보면서 부족한 부분을 체크해.

익힘책 다지기

1 36 이상인 수에 ○표, 36 이하인 수에 △표 하세요.

> | 33 | 34 | 35 | 36 | 37 | 38 | 39 |

2 주어진 수를 버림하여 백의 자리까지 나타낸 수에 ○표 하세요.

> 7493 ➡ (7300 , 7400 , 7500)

[3~4] 수현이네 반 학생들의 줄넘기 횟수를 조사하여 나타낸 표입니다. 물음에 답하세요.

수현이네 반 학생들의 줄넘기 횟수

이름	수현	윤호	소정	은서
횟수(회)	128	113	125	126

3 줄넘기 횟수가 125회 초과인 학생의 횟수를 모두 써 보세요.

> ( )

5 올림하여 주어진 자리까지 나타내어 보세요.

수	십의 자리	백의 자리
436		

[6~7] 수직선에 나타내어 보세요.

6 15 이상인 수

7 53 미만인 수

서술형 연습

1 대한민국에서 투표할 수 있는 나이는 만 19세 이상입니다. 우리 가족 중에서 투표할 수 있는 나이를 모두 써 보세요.

우리 가족의 나이

가족	아버지	어머니	나	언니
나이(만 세)	46	43	12	19

> ( )

2 통과 제한 높이가 3.5 m인 도로가 있습니다. 도로 아래를 통과할 수 있는 자동차를 모두 찾아 기호를 써 보세요.

자동차	㉠	㉡	㉢	㉣
높이(cm)	400	340	335	350

> ( )

4 건희는 친구들과 놀이공원에 갔습니다. 다음 놀이 기구를 탈 수 없는 사람을 모두 써 보세요.

> 〈하늘을 나는 코끼리〉
> 키가 130 cm 이상 150 cm 미만인 사람만 탑승 가능

이름	건희	서연	재호	아영
키(cm)	150.0	130.0	154.2	142.8

> ( )

5 배 832상자를 트럭에 모두 실으려고 합니다. 트럭 한 대에 100상자씩 실을 수 있을 때 트럭은 최소 몇 대 필요한가요?

> ( )

 단원별 익힘책 유형을 보충하여 수록, 익힘책 문제로 실력 업그레이드!!

 단원별 문장제나 응용문제를 수록하였고, 문제해결력 문제로 서술형 문제까지 연습!!

수학 리더 개념 5-2

BOOK 1

· · · · ·
개념 기본서 **차례**

1 수의 범위와 어림하기

추기경 님은 먼저 가시죠. 저희는 저희에게 도전한 자와 결투를 하고 가겠습니다.

아토스 자네 뿐 아니라 아라미스와 포르토스까지 말인가?

천하의 삼총사에게 도전을 하다니. 도대체 어떤 용기있는 사나이인지 궁금하군.

사나이가 아니라 그냥 어린 아이 같던데요?

그냥 버릇 좀 고쳐주고 돌려 보낼 생각입니다.

난, 달타냥. 기사로 성공하기 위해서 시골에서 도시로 왔다.

첫날부터 나에게 시비를 거는 자가 있어서 여기에서 결투를 하기로 했다.

아토스, 아라미스, 포르토스라는 자들과 말이다.

어이! 꼬마! 감히 삼총사에게 도전하다니. 겁이 없군.

난 꼬마가 아니라 달타냥이다.

겁이 없는지 모르겠으나 실력은 있다!

쟤 뭐라는 거야?

실력은 있다는데?

허풍이겠지?

쓸데없는 소리 말고 어서 덤비기나 해라!

나는 10명 이상이 아니면 대결하지 않는데 어쩌나?

꼬마한테 장난치지마. 아라미스!

10명 이상? 그건 몇 명 이야?

바보랑 싸울 수도 없고…….. 내가 알려주지.

- 10 이상인 수: 10과 같거나 큰 수
  즉, 10명 이상은 10명, 11명, 12명 …… 등을 말합니다.

그리고 하나 더~ 올림도 알려주지.
대결할 때 쓸 칼을 10개씩 묶어서 팔 때,
17개가 필요하면 올림해서 20개를 사야 겠지?

올림하여 십의 자리까지 나타내기

$17 \rightarrow 20$

└ 십의 자리 아래 수인 7을 10으로 봅니다.

와~ 내가 알던 아라미스 맞아?

됐고, 난 한 명이지만 어서 덤벼!

저기, 꼬마~ 그 전에 초대받지 않은 손님들이 찾아온 것 같군.

달타냥, 그러니 넌 어서 몸을 피하거라.

크크크~ 삼총사, 오늘이 너희의 마지막 날이 될 것이다.

문제 생성기 QR 코드를 찍어 보세요.
단원 대표 문제를 풀 수 있어요.

개념 원리

① 이상 알아보기

■ 이상인 수: ■와 같거나 큰 수

⑩ 80 이상인 수

➜ 80.0, 80.4, 83.0, 84.6 등과 같이 80과 같거나 큰 수

> 수직선에 나타낼 때에는 기준이 되는 수 80에 ●으로 표시하고 오른쪽으로 선을 그어.

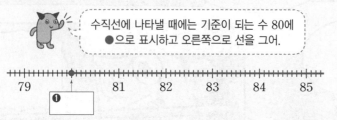

② 이하 알아보기

▲ 이하인 수: ▲와 같거나 작은 수

⑩ 50 이하인 수

➜ 50.0, 49.8, 47.0, 46.5 등과 같이 **❷**[   ]과 같거나 작은 수

> 수직선에 나타낼 때에는 기준이 되는 수 50에 ●으로 표시하고 왼쪽으로 선을 그어.

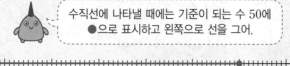

참고 이상과 이하는 기준이 되는 수가 포함되므로 수직선에 ●을 이용하여 나타냅니다.

	점 표시	선의 방향
이상	●	오른쪽
이하	●	**❸**[ ]

개념 체크

[1~2] 알맞은 말에 ○표 하세요.

1 9와 같거나 큰 수
➜ 9 (이상 , 이하)인 수

2 17과 같거나 작은 수
➜ 17 (이상 , 이하)인 수

[3~4] 주어진 범위에 속하는 수에 ○표 하세요.

3
26 이상인 수

(20 , 24 , 26)

4
42 이하인 수

(40 , 43 , 48)

5 수직선에 수의 범위를 알맞게 나타낸 것에 ○표 하세요.

54 이하인 수

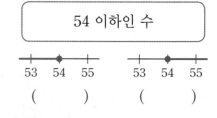

(   )   (   )

정답 ❶ 80 ❷ 50 ❸ 왼쪽

수의 범위와 어림하기

8

[1~2] 주어진 범위에 속하는 수에 모두 ○표 하세요.

1

135 이상인 수

(128 , 135, 134 , 140 , 125)

2

176 이하인 수

(155 , 180 , 176 , 200 , 191)

[3~6] 수직선에 나타낸 수의 범위를 쓰려고 합니다. □ 안에 알맞은 수나 말을 써넣으세요.

3

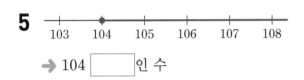

➜ □ 이상인 수

4

➜ □ 이하인 수

5

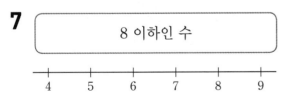

➜ 104 □ 인 수

6

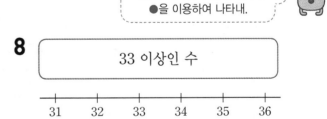

➜ 148 □ 인 수

이상과 이하인 수는 수직선에
●을 이용하여 나타내.

[7~10] 수직선에 나타내어 보세요.

7

8 이하인 수

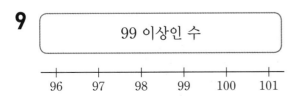

8

33 이상인 수

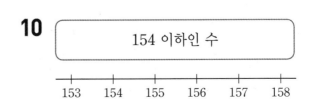

9

99 이상인 수

```
┼────┼────┼────┼────┼────┼
96   97   98   99  100  101
```

10

154 이하인 수

```
┼────┼────┼────┼────┼────┼
153  154  155  156  157  158
```

개념 원리

❶ 초과 알아보기

■ 초과인 수: ■보다 큰 수

예 60 초과인 수

➔ 60.3, 61.0, 63.6 등과 같이 <u>60보다 큰 수</u>
  └ 60은 포함되지 않습니다.

수직선에 나타낼 때에는 기준이 되는 수 60에 ○으로 표시하고 오른쪽으로 선을 그어.

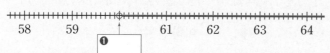

58 59 ❶[   ] 61 62 63 64

❷ 미만 알아보기

9 미만인 수

9는 나가!!

앗! 떡!

2 9 5 4

▲ 미만인 수: ▲보다 작은 수

예 37 미만인 수

➔ 36.9, 36.0, 34.3, 33.0 등과 같이 ❷[   ]보다 작은 수
  └ 37은 포함되지 않습니다.

수직선에 나타낼 때에는 기준이 되는 수 37에 ○으로 표시하고 왼쪽으로 선을 그어.

33 34 35 36 37 38 39

참고 초과와 미만은 기준이 되는 수가 포함되지 않으므로 수직선에 ○을 이용하여 나타냅니다.

	점 표시	선의 방향
초과	○	❸[ ]
미만	○	왼쪽

개념 체크

[1~2] 보기 에서 찾아 □ 안에 알맞은 말을 써넣으세요.

보기

초과   미만

1 5보다 큰 수 ➔ 5 [   ] 인 수

2 10보다 작은 수 ➔ 10 [   ] 인 수

[3~4] 주어진 범위에 속하는 수에 ○표 하세요.

3
41 초과인 수

(40 , 41 , 42)

4
56 미만인 수

(55 , 56 , 57)

5 관계있는 것끼리 이어 보세요.

38 초과인 수   38 미만인 수

•   •

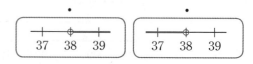

•   •

37 38 39   37 38 39

정답 ❶ 60 ❷ 37 ❸ 오른쪽

[1~2] 주어진 범위에 속하는 수에 모두 ○표 하세요.

1

84 초과인 수

(84 , 82 , 79 , 90 , 95)

2

169 미만인 수

(160 , 170 , 169 , 186 , 166)

[3~6] 수직선에 나타낸 수의 범위를 쓰려고 합니다. ☐ 안에 알맞은 수나 말을 써넣으세요.

3

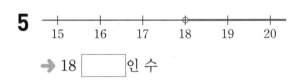

➡ ☐ 초과인 수

4

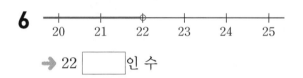

➡ ☐ 미만인 수

5

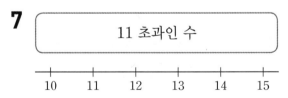

➡ 18 ☐ 인 수

6

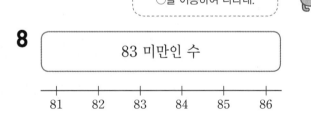

➡ 22 ☐ 인 수

초과와 미만인 수는 수직선에 ○을 이용하여 나타내.

[7~10] 수직선에 나타내어 보세요.

7

11 초과인 수

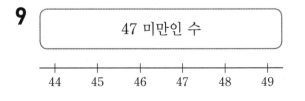

8

83 미만인 수

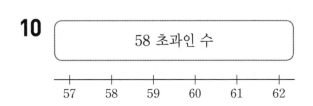

9

47 미만인 수

```
  44   45   46   47   48   49
```

10

58 초과인 수

```
  57   58   59   60   61   62
```

개념 원리

❶ 수의 범위를 활용하여 문제 해결하기

씨름 체급별 몸무게(초등학교 남학생용)

체급	몸무게(kg)
경장급	40 이하
소장급	40 초과 45 이하
청장급	45 초과 50 이하
용장급	50 초과 55 이하
용사급	55 초과 60 이하
역사급	60 초과 70 이하
장사급	70 초과 110 이하

건우 42 kg 예준 44 kg

(1) 건우와 예준이가 속한 체급과 몸무게 범위 알아보기
① 건우와 예준이의 체급은 [❶   ]입니다.
② 건우와 예준이가 속한 체급의 몸무게 범위는
[❷   ] kg 초과 45 kg 이하입니다.

(2) 건우와 예준이가 속한 체급의 몸무게 범위를 수직선에 나타내기

수직선에 40 초과인 수는 ○을 이용하고, 45 이하인 수는 ●을 이용하여 나타내.

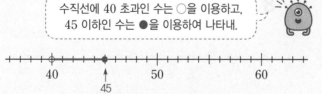

40   45   50   60

❷ 여러 가지 수의 범위를 수직선에 나타내기

6 이상 8 이하인 수	●——● (5 6 7 8 9)
6 이상 8 미만인 수	●——○ (5 6 7 8 9)
6 초과 8 이하인 수	○——● (5 6 7 8 9)
6 초과 8 [❸]인 수	○——○ (5 6 7 8 9)

개념 체크

[1~3] 남자 태권도 선수들의 체급별 몸무게를 나타낸 표입니다. 준호의 몸무게가 35 kg일 때 물음에 답하세요.

체급별 몸무게(초등학교 남학생용)

체급	몸무게(kg)
핀급	32 이하
플라이급	32 초과 34 이하
밴텀급	34 초과 36 이하
페더급	36 초과 39 이하
라이트급	39 초과

1 준호가 속한 체급에 ○표 하세요.
(플라이급 , 밴텀급)

2 준호가 속한 체급의 몸무게 범위를 써 보세요.
[   ] kg 초과 [   ] kg 이하

3 라이트급에 속하는 몸무게에 ○표 하세요.
(39 kg , 40 kg)

4 7 초과 9 미만인 수의 범위를 수직선에 바르게 나타낸 것에 ○표 하세요.

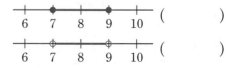

(6 7 8 9 10) (   )
(6 7 8 9 10) (   )

정답 ❶ 소장급 ❷ 40 ❸ 미만

수의 범위와 어림하기

[1~3] 우리 가족이 동물원에 가려고 합니다. 동물원의 입장 요금표를 보고 물음에 답하세요.

동물원의 입장 요금표

나이(세)	입장료(원)
7 이상 14 미만	1000
14 이상 19 미만	2000
19 이상	3000

아빠 46세　엄마 38세　오빠 16세　언니 14세　나 11세

1 오빠의 입장료와 오빠가 속한 나이 범위를 써 보세요.

입장료: ☐ 원

나이 범위: ☐ 세 이상 ☐ 세 미만

2 ☐ 안에 알맞은 말을 써넣으세요.

 오빠와 입장가 같은 사람은 ☐ 야.

3 오빠가 속한 나이 범위를 수직선에 바르게 나타낸 것에 ○표 하세요.

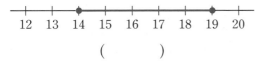

(　　　)

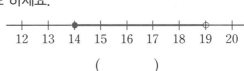

(　　　)

[4~5] 주어진 범위에 속하는 수에 모두 ○표 하세요.

4
25 이상 27 이하인 수

(24 , 25 , 26 , 27 , 28)

5
10 초과 13 미만인 수

(10 , 11 , 12 , 13 , 14)

[6~7] 수직선에 나타낸 수의 범위를 쓰려고 합니다. 이상, 이하, 초과, 미만 중 ☐ 안에 알맞은 말을 써넣으세요.

6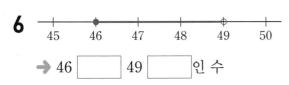

➡ 46 ☐ 49 ☐ 인 수

7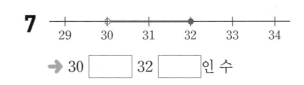

➡ 30 ☐ 32 ☐ 인 수

1 개념 빠삭　이상과 이하

- ■ 이상인 수: ■와 같거나 큰 수

  예 25 이상인 수: ☐ 와/과 같거나 큰 수

  23　24　25　26　27　28

- ▲ 이하인 수: ▲와 같거나 작은 수

  예 18 이하인 수: ☐ 와/과 같거나 작은 수

  16　17　18　19　20　21

2 15 이하인 수에 ○표, 15 이상인 수에 △표 하세요.

12　13　14　15　16　17

[3~4] 현서네 모둠 학생들의 턱걸이 횟수를 조사하여 나타낸 표입니다. 물음에 답하세요.

현서네 모둠 학생들의 턱걸이 횟수

이름	현서	주아	정우	경석
횟수(회)	23	12	30	17

3 턱걸이 횟수가 23회와 같거나 적은 학생의 이름을 모두 써 보세요.

(　　　　)

4 턱걸이 횟수가 23회 이하인 학생의 횟수를 모두 써 보세요.

(　　　　)

5 수직선에 나타내어 보세요.

32 이상인 수

30　31　32　33　34　35

문제 해결

6 주은이네 모둠 학생들의 수학 점수입니다. 상을 받은 학생의 이름을 모두 써 보세요.

주은이네 모둠 학생들의 수학 점수

이름	주은	도현	은지	연수
점수(점)	76	96	90	88

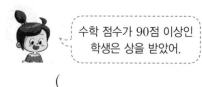

수학 점수가 90점 이상인 학생은 상을 받았어.

(　　　　)

7 개념 빠삭　초과와 미만

- ■ 초과인 수: ■보다 큰 수

  예 13 초과인 수: 13보다 ☐ 수

  10　11　12　13　14　15

- ▲ 미만인 수: ▲보다 작은 수

  예 ☐ 미만인 수: 23보다 작은 수

  21　22　23　24　25　26

8 46 초과인 수를 모두 찾아 써 보세요.

48　　46　　44　　50　　42

(　　　　)

[9~10] 영아네 모둠 학생들의 키를 조사하여 나타낸 표입니다. 물음에 답하세요.

영아네 모둠 학생들의 키

이름	영아	수현	보라	혁진
키(cm)	143.0	145.2	139.5	142.8

9 키가 143 cm보다 작은 학생의 이름을 모두 써 보세요.

(   )

10 키가 143 cm 미만인 학생의 키를 모두 써 보세요.

(   )

11 수직선에 나타낸 수의 범위를 초과, 미만 중 알맞은 말을 사용하여 써 보세요.

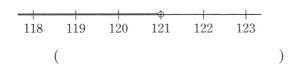

(   )

문제 해결

12 반별로 놀이 기구를 타려고 합니다. 놀이 기구 한 대의 정원은 21명입니다. 학생 수가 놀이 기구 한 대의 정원을 초과하는 반을 모두 써 보세요.

반	1반	2반	3반	4반
학생 수(명)	23	21	19	22

(   )

13 **개념 빠삭** 수의 범위를 활용하여 문제 해결하기

• 무게가 28 g인 우편물이 속한 무게 범위와 요금 알아보기

무게별 일반 우편 요금표

무게(g)	요금(원)
5 이하	300
5 초과 25 이하	330
25 초과 50 이하	350

(1) 무게 범위: □ g 초과 50 g 이하

(2) 무게 범위를 수직선에 나타내기

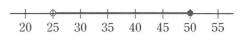

(3) 우편물의 요금: □ 원

14 점수별 1분 동안 한 팔 굽혀 펴기 횟수를 나타낸 표입니다. 성주가 팔 굽혀 펴기를 24회 했을 때 성주 점수의 횟수 범위를 수직선에 나타내어 보세요.

점수별 팔 굽혀 펴기 횟수

점수(점)	횟수(회)
1	20 미만
2	20 이상 25 미만
3	25 이상 30 미만
4	30 이상

15 69를 포함하는 수의 범위를 말한 사람의 이름을 모두 써 보세요.

69 이상 74 이하인 수	69 초과 75 미만인 수	68 초과 73 이하인 수
재석	민서	준하

(   )

개념 원리

❶ 올림 알아보기

1. 자석 125개를 묶음으로 사기

(1) 10개씩 묶음으로 사는 경우

> 120개를 사면 부족해.

➡ 최소 130개를 사야 합니다.

(2) 100개씩 묶음으로 사는 경우

> 100개를 사면 부족해.

➡ 최소 ❶[   ]개를 사야 합니다.

2. 올림: 구하려는 자리 아래 수를 올려서 나타내는 방법

㉂ 125를 올림하여 나타내기

십의 자리까지 나타내기	백의 자리까지 나타내기
125 ➡ ❷[ ]	125 ➡ 200
└ 십의 자리 아래 수인 5를 10으로 봅니다.	└ 백의 자리 아래 수인 25를 100으로 봅니다.

3. 올림 활용하기

㉂ 1000원짜리 지폐로 26700원짜리 물건을 사려면 최소 얼마가 필요한지 알아보기

> 26000원으로 26700원짜리 물건을 사기에 돈이 부족하니까 최소 27000원이 필요해.

➡ 26700을 올림하여 천의 자리까지 나타내면 ❸[   ]입니다.

❷ 소수를 올림하기

㉂ 1.453을 올림하여 나타내기

소수 첫째 자리까지 나타내기	소수 둘째 자리까지 나타내기
1.453 ➡ 1.5	1.453 ➡ 1.46
└ 소수 첫째 자리 아래 수를 0.1로 봅니다.	└ 소수 둘째 자리 아래 수를 0.01로 봅니다.

개념 체크

[1~2] 학생 58명에게 젤리를 1개씩 나누어 주려고 합니다. 물음에 답하세요.

1 젤리를 10개씩 묶음으로 산다면 최소 몇 개 사야 하는지 ○표 하세요.

(50개 , 60개)

2 58을 올림하여 십의 자리까지 나타내면 얼마인가요?

(   )

[3~4] 주어진 수를 올림하여 십의 자리까지 나타내려고 합니다. □ 안에 알맞은 수를 써넣으세요.

3 215 ➡ 2[ ]0

4 446 ➡ 4[ ][ ]

5 □ 안에 알맞은 수를 써넣으세요.

> 3.248을 올림하여 소수 둘째 자리까지 나타낸 수 ➡ [   ]

정답 ❶ 200 ❷ 130 ❸ 27000

[1~2] 현수네 학교 5학년 학생 216명에게 머리핀을 1개씩 나누어 주려고 합니다. 머리핀을 묶음으로 산다면 머리핀을 최소 몇 개 사야 하는지 알아보세요.

1 10개씩 묶음으로 산다면 최소 몇 개를 사야 하나요?

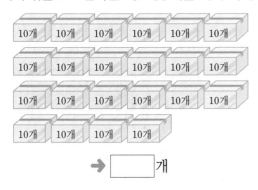

➡ [   ] 개

2 100개씩 묶음으로 산다면 최소 몇 개를 사야 하나요?

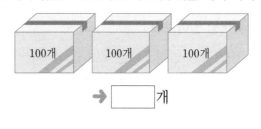

➡ [   ] 개

10개씩, 100개씩 묶음으로 살 때 부족하지 않게 사야 해.

[3~4] 주어진 수를 올림하여 십의 자리까지 나타낸 수에 ○표 하세요.

3 [168] ➡ (150 , 160 , 170)

4 [234] ➡ (230 , 240 , 250)

[5~8] 주어진 수를 올림하여 백의 자리까지 나타내어 보세요.

5 [255] ➡ [   ]

6 [109] ➡ [   ]

7 [1713] ➡ [   ]

8 [4672] ➡ [   ]

[9~10] 소수를 올림하여 주어진 자리까지 나타내어 보세요.

9 8.26을 올림하여 소수 첫째 자리까지

➡ (   )

10 5.351을 올림하여 소수 둘째 자리까지

➡ (   )

1단계 개념 빠삭

5 버림을 알아볼까요

개념 원리

1 버림 알아보기

1. 10원짜리 동전으로만 모은 돈 2360원을 바꾸기

(1) 100원짜리 동전으로 바꾸는 경우

> 남은 60원은 바꿀 수 없어.

➜ 최대 **❶** [   ]원까지 바꿀 수 있습니다.

(2) 1000원짜리 지폐로 바꾸는 경우

> 남은 360원은 바꿀 수 없어.

➜ 최대 2000원까지 바꿀 수 있습니다.

2. 버림: 구하려는 자리 아래 수를 버려서 나타내는 방법

예) 2360을 버림하여 나타내기

백의 자리까지 나타내기	천의 자리까지 나타내기
2360 ➜ 2300	2360 ➜ **❷** [ ]
└ 백의 자리 아래 수인 60을 0으로 봅니다.	└ 천의 자리 아래 수인 360을 0으로 봅니다.

3. 버림 활용하기

예) 귤 857개를 한 상자에 10개씩 담는다면 귤을 최대 몇 개까지 담을 수 있는지 알아보기

> 10개씩 상자에 담으면 850개는 담을 수 있고, 나머지 7개는 상자에 담을 수 없으니까 최대 850개까지 담을 수 있어.

➜ 857을 버림하여 십의 자리까지 나타내면 850입니다.

2 소수를 버림하기

예) 4.785를 버림하여 나타내기

소수 첫째 자리까지 나타내기	소수 둘째 자리까지 나타내기
4.785 ➜ **❸** [ ]	4.785 ➜ 4.78
└ 소수 첫째 자리 아래 수를 0으로 봅니다.	└ 소수 둘째 자리 아래 수를 0으로 봅니다.

개념 체크

[1~2] 연필 45자루를 한 상자에 10자루씩 담으려고 합니다. 물음에 답하세요.

1 한 상자에 10자루씩 담는다면 연필을 최대 몇 자루까지 담을 수 있나요?

[   ]자루

2 45를 버림하여 십의 자리까지 나타내면 얼마인가요?

(   )

3 알맞은 수에 ○표 하세요.

> 634를 버림하여 백의 자리까지 나타내면 (600 , 700)입니다.

4 보기와 같이 주어진 소수를 버림하여 소수 첫째 자리까지 나타낸 수에 ○표 하세요.

> 보기
> 2.926 ➜ 2.9

5.668 ➜ (5.6 , 5.7)

[1~2] 수정이가 저금통에 동전을 저금했습니다. 저금한 돈이 43250원일 때 지폐로 최대 얼마까지 바꿀 수 있는지 알아보세요.

1
저금한 돈을 1000원짜리 지폐로 바꾼다면
최대 [   ]원까지 바꿀 수 있습니다.

➡ 43250을 버림하여 천의 자리까지 나타내면
[   ]입니다.

2
저금한 돈을 10000원짜리 지폐로 바꾼다면
최대 [   ]원까지 바꿀 수 있습니다.

➡ 43250을 버림하여 만의 자리까지 나타내면
[   ]입니다.

[3~4] 주어진 수를 버림하여 십의 자리까지 나타내어 보세요.

3 863 ➡ [   ]

4 1742 ➡ [   ]

[5~6] 주어진 수를 버림하여 백의 자리까지 나타내어 보세요.

5 462 ➡ [   ]

6 6153 ➡ [   ]

버림하여 소수 ■째 자리까지 나타내려면
소수 ■째 자리 아래 수를 0으로 보고 버림해.

[7~8] 보기 와 같이 소수를 버림해 보세요.

보기
1.669를 버림하여 소수 첫째 자리까지 나타내면 1.6입니다.
2.248을 버림하여 소수 둘째 자리까지 나타내면 2.24입니다.

7 2.862를 버림하여 소수 첫째 자리까지 나타내면 [   ]입니다.

8 3.715를 버림하여 소수 둘째 자리까지 나타내면 [   ]입니다.

1 개념 빠삭   올림

- 올림: 구하려는 자리 아래 수를 올려서 나타내는 방법

  예 올림하여 십의 자리까지 나타내기

  238 → ☐

  예 올림하여 백의 자리까지 나타내기

  5627 → ☐

2 올림하여 주어진 자리까지 나타내어 보세요.

수	십의 자리까지	백의 자리까지
763		

3 4578을 올림하여 천의 자리까지 나타낸 수는 어느 것인가요? ······························ ( )

① 4000   ② 4600   ③ 3000

④ 5600   ⑤ 5000

4 주어진 소수를 올림하여 소수 둘째 자리까지 나타내어 보세요.

5.663

( )

5 올림하여 십의 자리까지 나타낸 수가 <u>다른</u> 하나에 ○표 하세요.

420   419   401

6 올림하여 백의 자리까지 나타내면 76000이 되는 수를 찾아 기호를 써 보세요.

㉠ 7602   ㉡ 7599   ㉢ 7480

( )

7 어림한 수의 크기를 비교하여 ○ 안에 >, =, <를 알맞게 써넣으세요.

| 2354를 올림하여 천의 자리까지 나타낸 수 | ○ | 2831을 올림하여 백의 자리까지 나타낸 수 |

문제 해결

8 준서의 일기장 비밀번호를 올림하여 백의 자리까지 나타내면 2300입니다. ☐ 안에 알맞은 수를 써넣으세요.

내 일기장의 비밀번호는 2☐49야.

준서

1

수의 범위와 어림하기

9 개념 빠삭 　버림

- 버림: 구하려는 자리 아래 수를 버려서 나타내는 방법
  예 버림하여 십의 자리까지 나타내기

  367 ➡ ☐

  예 버림하여 백의 자리까지 나타내기

  5469 ➡ ☐

10 주어진 수를 버림하여 천의 자리까지 나타내어 보세요.

1370

(　　　　　　　　)

11 버림하여 주어진 자리까지 나타내어 보세요.

수	십의 자리까지	백의 자리까지
852		

12 7.724를 버림하여 소수 첫째 자리까지 나타낸 수에 색칠해 보세요.

| 7.6 | 7.7 | 7.8 |

13 수를 버림하여 백의 자리까지 바르게 나타낸 것을 찾아 기호를 써 보세요.

⊙ 620 ➡ 700
ⓒ 4830 ➡ 4900
ⓒ 9650 ➡ 9600

(　　　　　　　　)

14 버림하여 백의 자리까지 나타내면 3700이 되지 <u>않는</u> 수를 말한 사람의 이름을 써 보세요.

| 3759 | 3685 | 3701 |
| 서현 | 재석 | 지우 |

(　　　　　　　　)

15 어림한 수의 크기를 비교하여 더 큰 수에 ○표 하세요.

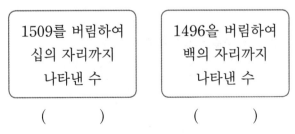

| 1509를 버림하여 십의 자리까지 나타낸 수 | 1496을 버림하여 백의 자리까지 나타낸 수 |

(　　　　)　　　　(　　　　)

개념 원리

① 반올림 알아보기

1. 미술관에 입장한 사람 수를 수직선에서 어림하기

오늘 미술관에 입장한 사람은 3283명이야.

(1) 3283은 몇십에 더 가까운지 알아보고 어림하기

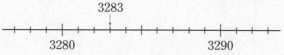

➜ 3283은 3280과 3290 중에서 3280에 더 가까우므로 약 ❶ ⬚ 명이라고 할 수 있습니다.

(2) 3283은 몇백에 더 가까운지 알아보고 어림하기

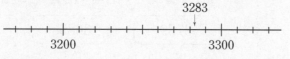

➜ 3283은 3200과 3300 중에서 3300에 더 가까우므로 약 ❷ ⬚ 명이라고 할 수 있습니다.

2. 반올림: 구하려는 자리 바로 아래 자리의 숫자가
   0, 1, 2, 3, 4이면 버리고, 5, 6, 7, 8, 9이면
   올리는 방법

예 3283을 반올림하여 나타내기

십의 자리까지 나타내기	백의 자리까지 나타내기
3283 ➜ 32❸⬚0	3283 ➜ 3300
└ 일의 자리 숫자가 3이므로 버립니다.	└ 십의 자리 숫자가 8이므로 올립니다.

② 소수를 반올림하기

예 4.591을 반올림하여 나타내기

소수 첫째 자리까지 나타내기	소수 둘째 자리까지 나타내기
4.591 ➜ 4.6	4.591 ➜ 4.59
└ 소수 둘째 자리 숫자가 9이므로 올립니다.	└ 소수 셋째 자리 숫자가 1이므로 버립니다.

개념 체크

1 수직선을 보고 알맞은 수에 ○표 하세요.

(1) 230은 200과 300 중에서
   (200 , 300)에 더 가깝습니다.

(2) 230은 약 (200 , 300)입니다.

2 ☐ 안에 알맞은 말을 써넣으세요.

구하려는 자리 바로 아래 자리의
숫자가 0, 1, 2, 3, 4이면 버리고,
5, 6, 7, 8, 9이면 올리는 방법을
⬚ (이)라고 합니다.

3 주어진 수를 반올림하여 백의 자리까지
나타내어 보세요.

142 ➜ ⬚

4 6.382를 반올림하여 소수 첫째 자리까지 나타낸 수에 ○표 하세요.

(6.3 , 6.4)

[1~2] 자루에 바둑돌이 268개 들어 있습니다. 자루에 들어 있는 바둑돌은 약 몇십 개라고 할 수 있는지 알아보세요.

1 바둑돌의 수를 수직선에 ↓로 나타내어 보세요.

2 자루에 들어 있는 바둑돌은 약 몇십 개라고 할 수 있나요?

268은 260과 270 중에서 [   ]에 더 가까우므로 약 [   ]개라고 할 수 있습니다.

주어진 자리 바로 아래 자리의 숫자가 0, 1, 2, 3, 4이면 버리고, 5, 6, 7, 8, 9이면 올려서 나타내.

[3~6] 반올림하여 주어진 자리까지 나타내어 보세요.

3 십의 자리까지

5552 ➡ [   ]

4 백의 자리까지

1654 ➡ [   ]

5 백의 자리까지

6308 ➡ [   ]

6 천의 자리까지

2716 ➡ [   ]

[7~10] 소수를 반올림하여 주어진 자리까지 나타내어 보세요.

7 7.313을 반올림하여 일의 자리까지

➡ (   )

8 1.771을 반올림하여 소수 첫째 자리까지

➡ (   )

9 6.524를 반올림하여 소수 첫째 자리까지

➡ (   )

10 3.165를 반올림하여 소수 둘째 자리까지

➡ (   )

1

수의 범위와 어림하기

23

❼ 올림, 버림, 반올림을 활용하여 문제를 해결해 볼까요

개념 원리

❶ 올림을 활용하여 문제 해결하기

> 학생 84명이 정원이 10명인 놀이 기구를 타려고 합니다. 놀이 기구는 최소 몇 번 운행해야 하는지 알아보세요.

(1) 올림, 버림, 반올림 중에서 어림 방법 알아보기

> 놀이 기구는 한 번에 10명까지 탈 수 있으므로 84명을 90명이라고 생각하고 올림해야 해.

(2) 84명이 모두 놀이 기구를 타려면 놀이 기구는 최소 몇 번 운행해야 하는지 구해 보기

➡ ❶[　　] 번

❷ 버림을 활용하여 문제 해결하기

> 선물 상자 1개를 포장하는 데 끈 1 m가 필요합니다. 끈 314 cm로 선물 상자를 최대 몇 개까지 포장할 수 있는지 알아보세요.

(1) 올림, 버림, 반올림 중에서 어림 방법 알아보기

> 1 m=100 cm보다 짧은 끈은 포장할 수 없으므로 314 cm를 300 cm라고 생각하고 버림해야 해.

(2) 끈 314 cm로 선물 상자를 최대 몇 개까지 포장할 수 있는지 구해 보기

➡ 3개

❸ 반올림을 활용하여 문제 해결하기

 > 은정이네 모둠 친구들의 100 m 달리기 기록을 반올림하여 일의 자리까지 나타내어 봐.

은정이네 모둠 친구들의 100 m 달리기 기록

이름	은정	수진	정수	진욱
기록(초)	18.3	19.2	17.8	20.1
반올림한 기록(초)	❷[　　]	19	18	❸[　　]

개념 체크

[1~2] 사탕 32개를 봉지에 모두 담으려고 합니다. 봉지 한 개에 사탕을 10개씩 담을 수 있을 때 봉지는 최소 몇 개 필요한지 알아보세요.

1 어림 방법 중에서 알맞은 것에 ◯표 하세요.

올림	버림
(　　　)	(　　　)

2 사탕 32개를 모두 봉지에 담으려면 봉지는 최소 몇 개 필요한가요?

(　　　　　　)개

[3~4] 종이 인형을 한 개 만드는 데 색종이가 10장 필요합니다. 색종이 46장으로 종이 인형을 최대 몇 개까지 만들 수 있는지 알아보세요.

3 어림 방법 중에서 알맞은 것에 ◯표 하세요.

올림	버림
(　　　)	(　　　)

4 색종이 46장으로 종이 인형을 최대 몇 개까지 만들 수 있나요?

(　　　　　　)개

정답 ❶ 9　❷ 18　❸ 20

[1~2] 배 759상자를 트럭에 모두 실으려고 합니다. 트럭 한 대에 100상자씩 실을 수 있을 때 트럭은 최소 몇 대 필요한지 알아보세요.

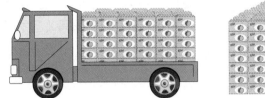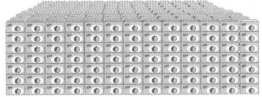

1 어림 방법 중에서 알맞은 것에 ○표 하세요.

올림	버림	반올림
( )	( )	( )

2 트럭은 최소 몇 대 필요한가요? ( )대

[3~4] 토마토 615개를 한 상자에 10개씩 담아서 판다면 토마토를 최대 몇 상자까지 팔 수 있는지 알아보세요.

3 어림 방법 중에서 알맞은 것에 ○표 하세요.

올림	버림	반올림
( )	( )	( )

4 토마토를 최대 몇 상자까지 팔 수 있나요? ( )상자

5 경수네 모둠 친구들의 키를 나타낸 표입니다. 키를 반올림하여 일의 자리까지 나타내어 표를 완성해 보세요.

경수네 모둠 친구들의 키

이름	경수	정희	세주	광수
키(cm)	146.8	136.4	142.5	150.3
반올림한 키(cm)		136	143	

1 개념 빠삭　반올림

- **반올림**: 구하려는 자리 바로 아래 자리의 숫자가 0, 1, 2, 3, 4이면 버리고, 5, 6, 7, 8, 9이면 올리는 방법

  예 반올림하여 백의 자리까지 나타내기

  127 ➡ ▢

  예 반올림하여 천의 자리까지 나타내기

  1893 ➡ ▢

2 주어진 수를 반올림하여 십의 자리까지 나타내어 보세요.

425　➡ (　　　　　　　)

3 8267을 반올림하여 주어진 자리까지 나타내어 보세요.

십의 자리까지	백의 자리까지	천의 자리까지
8270		

4 보기와 같이 소수를 반올림하여 소수 둘째 자리까지 나타내어 보세요.

보기
3.207 ➡ 3.21

5.392 ➡ (　　　　　　　)

[5~6] 현석이네 지역의 인구는 남자가 53427명, 여자가 48783명입니다. 물음에 답하세요.

5 현석이네 지역의 남자 수는 **몇 명**인지 반올림하여 백의 자리까지 나타내어 보세요.
　꼭 단위까지 따라 쓰세요.

(　　　　　명　)

6 현석이네 지역의 여자 수는 **몇 명**인지 반올림하여 천의 자리까지 나타내어 보세요.

(　　　　　명　)

7 반올림하여 천의 자리까지 나타내면 3000이 되는 수가 <u>아닌</u> 것을 모두 고르세요. ····· (　　　　)

① 2546　　② 3218　　③ 3679

④ 2497　　⑤ 3361

추론

8 ▢ 안에 들어갈 수 있는 일의 자리 숫자를 모두 구해 보세요.

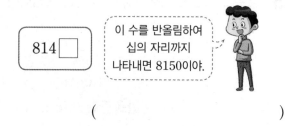

814▢
이 수를 반올림하여 십의 자리까지 나타내면 8150이야.

(　　　　　　　)

9 개념 빠삭 올림, 버림, 반올림을 활용하여 문제 해결하기

- 학생 243명이 모두 보트를 타려고 합니다. 보트 한 척에 탈 수 있는 정원이 10명일 때 보트는 최소 몇 대 있어야 하는지 알아보세요.

  (1) 올림, 버림, 반올림 중에서 어림 방법 알아보기 ➡ ☐

  (2) 보트는 최소 몇 대 있어야 하는지 구해 보기 ➡ ☐ 대

10 어떤 방법으로 어림해야 하는지 알맞은 방법에 ◯ 표 하세요.

3.8 kg인 호박의 무게를 1 kg 단위로 가까운 쪽의 눈금을 읽으면 약 몇 kg인가요?

(올림 , 버림 , 반올림)

[11~12] 수빈이는 과일 가게에서 8900원짜리 수박 1개를 사려고 합니다. 물음에 답하세요.

1000원짜리 지폐로만 수박값을 낸다면 최소 얼마를 내야 할까?

수빈

11 올림, 버림, 반올림 중에서 어떤 방법으로 어림해야 하나요?

( )

12 최소 얼마를 내야 하나요?

꼭 단위까지 따라 쓰세요.

(원)

[13~14] 오징어 2449마리를 100마리씩 묶어서 팔려고 합니다. 오징어를 최대 몇 마리까지 팔 수 있는지 알아보세요.

13 올림, 버림, 반올림 중에서 어떤 방법으로 어림해야 하나요?

( )

14 오징어를 최대 **몇 마리**까지 팔 수 있나요?

(마리)

15 준호네 집에서 각 장소까지의 거리를 나타낸 표입니다. 집에서 각 장소까지의 거리는 몇 m인지 반올림하여 십의 자리까지 나타내어 보세요.

준호네 집에서 각 장소까지의 거리

장소	공원	병원	학교
거리(m)	1863	657	732
반올림한 거리(m)			

16 공장에서 운동화를 3627켤레 만들어 다음과 같이 포장했습니다. 포장한 운동화는 최대 **몇 상자**인가요?

한 상자에 10켤레씩 담아서 포장했어.

(상자)

평가 1 단원 빠삭

1 □ 안에 알맞은 말을 써넣으세요.

> 48, 49, 52, 55 등과 같이 48과 같거나 큰
> 수를 48 [   ] 인 수라고 합니다.

2 수직선에 나타낸 수의 범위를 바르게 나타낸 것에 ○표 하세요.

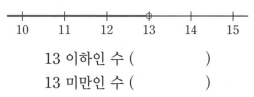

13 이하인 수 (   )

13 미만인 수 (   )

3 주어진 수를 버림하여 백의 자리까지 나타낸 수에 ○표 하세요.

2156 → (2000 , 2100 , 2200)

4 24 초과인 수가 아닌 것에 △표 하세요.

| 26 | 37 | 40 | 24 | 29 |

[5~6] 영선이네 반 학생들의 훌라후프 횟수를 조사하여 나타낸 표입니다. 물음에 답하세요.

영선이네 반 학생들의 훌라후프 횟수

이름	영선	재희	영재	기창
횟수(회)	268	145	187	213

5 훌라후프 횟수가 187회 초과인 학생의 이름을 모두 써 보세요.

(   )

6 훌라후프 횟수가 213회 이하인 학생의 이름을 모두 써 보세요.

(   )

7 민준이가 말한 소수를 올림하여 소수 첫째 자리까지 나타내어 보세요.

6.529

민준

(   )

핵심체크

3. 구하려는 자리 아래 수를 버려서 나타내는 방법을 버림이라고 합니다.
  예 1368을 버림하여 백의 자리까지 나타낸 수 ➡ 1300

8 색 테이프의 길이는 몇 cm인지 반올림하여 일의 자리까지 나타내어 보세요.

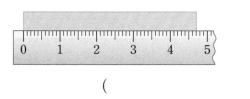

( )

9 수직선에 나타내어 보세요.

> 15 이상 19 미만인 수

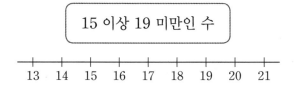

10 은혜의 저금통에 50320원이 들어 있습니다. 50320을 올림, 버림, 반올림하여 천의 자리까지 나타내어 보세요.

올림	버림	반올림

11 수직선에 나타낸 수의 범위를 이상, 이하, 초과, 미만 중 알맞은 말을 사용하여 써 보세요.

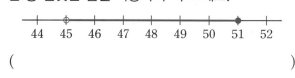

( )

12 버림하여 백의 자리까지 나타낸 수가 다른 하나를 찾아 기호를 써 보세요.

> ㉠ 360   ㉡ 428   ㉢ 387   ㉣ 305

( )

13 8125를 반올림하여 주어진 자리까지 나타낸 수 중 더 큰 것의 기호를 써 보세요.

> ㉠ 십의 자리까지   ㉡ 백의 자리까지

( )

추론

14 버림을 이용하여 문제를 풀 수 있는 사람의 이름을 써 보세요.

> 예은: 감자 439 kg을 10 kg씩 자루에 담아 포장한다면 최대 몇 kg까지 포장할 수 있을까?
>
> 현우: 116명이 모두 한 대에 10명까지 탈 수 있는 케이블카를 타려면 케이블카는 최소 몇 번 운행해야 할까?

( )

핵심체크

9. 수의 범위를 수직선에 나타낼 때 이상과 이하인 수는 ●을 이용하여 나타내고, 초과와 미만인 수는 ○을 이용하여 나타냅니다.

예 4 초과 7 미만인 수

15 윤기와 친구들이 놀이 공원에 갔습니다. 바이킹은 키가 140 cm 이상인 사람만 탈 수 있습니다. 바이킹을 탈 수 있는 사람의 이름을 모두 써 보세요.

윤기와 친구들의 키

이름	윤기	서현	진아	보현	민주
키(cm)	138.8	140.0	150.2	125.9	139.5

(   )

문제 해결

16 우리나라 여러 도시의 하루 동안 강수량을 조사하여 나타낸 표입니다. 강수량 범위에 속하는 도시 이름을 찾아 써넣으세요.

도시별 강수량

도시	서울	인천	부산	대구	제주
강수량(mm)	16.0	25.2	28.4	23.0	15.5

강수량(mm)	도시
20 이하	서울, 제주
20 초과 23 이하	
23 초과 26 이하	
26 초과	

17 병우는 마트에서 2600원짜리 치약 1개를 샀습니다. 1000원짜리 지폐로만 치약값을 낸다면 최소 얼마를 내야 하나요?

(   )

18 130을 포함하는 수의 범위를 모두 찾아 기호를 써 보세요.

> ㉠ 130 이상 135 미만인 수
> ㉡ 130 초과 133 이하인 수
> ㉢ 129 초과 134 미만인 수
> ㉣ 125 이상 130 미만인 수

(   )

19 우진이의 질문에 답해 보세요.

> 버림하여 백의 자리까지 나타내면 9600이 되는 자연수 중에서 가장 큰 수는 얼마일까?

우진

(   )

문제 해결

20 수 카드 4장을 한 번씩만 사용하여 만들 수 있는 가장 큰 네 자리 수를 올림하여 백의 자리까지 나타내어 보세요.

7	9	3	6

(   )

핵심체크

20. 가장 큰 수를 만들려면 높은 자리부터 큰 수를 차례로 놓습니다.

  예 수 카드 5 , 1 , 2 , 7 을 한 번씩만 사용하여 만들 수 있는 가장 큰 네 자리 수: 7521

2 분수의 곱셈

스토리텔링으로 생각열기

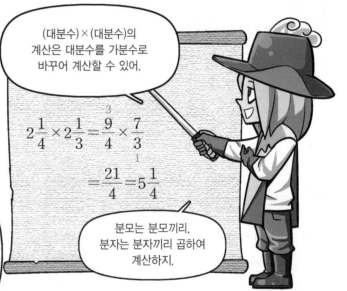

문제 생성기 QR 코드를 찍어 보세요.
단원 대표 문제를 풀 수 있어요.

개념 빠삭

❶ (진분수)×(자연수)를 알아볼까요

개념 원리

❶ (단위분수)×(자연수)

(예) $\dfrac{1}{4}\times 3$의 계산

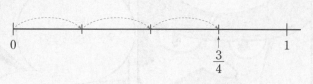

$$\frac{1}{4}\times 3=\frac{1}{4}+\frac{1}{4}+\frac{1}{4}=\frac{1\times 3}{4}=\frac{\boxed{❶\ }}{4}$$

> (단위분수)×(자연수)는 단위분수의 분자와 자연수를 곱하여 계산합니다.

❷ (진분수)×(자연수)

(예) $\dfrac{2}{5}\times 4$의 계산

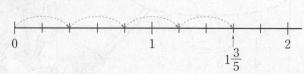

$$\frac{2}{5}\times 4=\frac{2}{5}+\frac{2}{5}+\frac{2}{5}+\frac{2}{5}=\frac{2\times 4}{5}=\frac{\boxed{❷\ }}{5}=1\frac{3}{5}$$

> (진분수)×(자연수)는 진분수의 분모는 그대로 두고 진분수의 분자와 자연수를 곱하여 계산합니다.

(예) $\dfrac{5}{8}\times 6$을 계산하는 방법

방법❶ 분자와 자연수를 곱한 후 약분하여 계산하기

$$\frac{5}{8}\times 6=\frac{5\times 6}{8}=\frac{\overset{15}{\cancel{30}}}{\underset{4}{\cancel{8}}}=\frac{15}{4}=3\frac{\boxed{❸\ }}{4}$$

방법❷ 주어진 곱셈식에서 분모와 자연수를 약분하여 계산하기

$$\frac{5}{\underset{4}{\cancel{8}}}\times\overset{3}{\cancel{6}}=\frac{5\times 3}{4}=\frac{15}{4}=3\frac{3}{4}$$

> 자신에게 편한 방법으로 계산하면 돼.

참고 계산 결과를 기약분수로 나타내어야 정답이지만 기약분수가 아닌 분수도 정답으로 인정합니다.

개념 체크

1 수직선을 보고 □ 안에 알맞은 수를 써넣으세요.

(1)
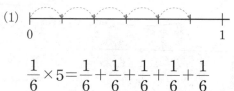

$$\frac{1}{6}\times 5=\frac{1}{6}+\frac{1}{6}+\frac{1}{6}+\frac{1}{6}+\frac{1}{6}$$
$$=\frac{1\times\boxed{\ \ }}{6}=\frac{\boxed{\ \ }}{6}$$

(2)
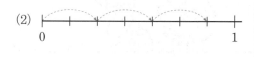

$$\frac{2}{7}\times 3=\frac{2}{7}+\frac{2}{7}+\frac{2}{7}$$
$$=\frac{2\times\boxed{\ \ }}{7}=\frac{\boxed{\ \ }}{7}$$

2 □ 안에 알맞은 수를 써넣으세요.

$$\frac{3}{4}\times 5=\frac{3\times\boxed{\ \ }}{4}=\frac{\boxed{\ \ }}{4}=\boxed{\ \ }\frac{\boxed{\ \ }}{4}$$

3 $\dfrac{2}{9}\times 3$을 두 가지 방법으로 계산하려고 합니다. □ 안에 알맞은 수를 써넣으세요.

방법❶

$$\frac{2}{9}\times 3=\frac{2\times 3}{9}=\frac{\overset{}{6}}{\underset{3}{\cancel{9}}}=\frac{\boxed{\ \ }}{3}$$

방법❷

$$\frac{2}{\underset{3}{\cancel{9}}}\times\overset{\boxed{\ \ }}{\cancel{3}}=\frac{2\times\boxed{\ \ }}{3}=\frac{\boxed{\ \ }}{3}$$

[1~2] 그림을 보고 □ 안에 알맞은 수를 써넣으세요.

1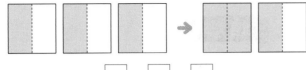

$$\frac{1}{2} \times 3 = \frac{\square}{2} + \frac{\square}{2} + \frac{\square}{2}$$

$$= \frac{1 \times \square}{2} = \frac{\square}{2} = \square\frac{\square}{2}$$

2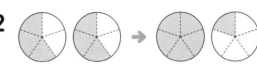

$$\frac{3}{5} \times 2 = \frac{\square}{5} + \frac{\square}{5}$$

$$= \frac{3 \times \square}{5} = \frac{\square}{5} = \square\frac{\square}{5}$$

[3~4] $\frac{5}{9} \times 6$을 두 가지 방법으로 계산하려고 합니다. □ 안에 알맞은 수를 써넣으세요.

3 $\frac{5}{9} \times 6 = \frac{5 \times 6}{9} = \frac{\overset{\square}{30}}{\underset{3}{9}} = \frac{\square}{3} = \square\frac{\square}{3}$

4 $\frac{5}{\underset{3}{9}} \times 6 = \frac{5 \times \square}{3} = \frac{\square}{3} = \square\frac{\square}{3}$

[5~6] 보기 와 같은 방법으로 계산해 보세요.

보기

$$\frac{7}{10} \times 4 = \frac{7 \times 4}{10} = \frac{\overset{14}{28}}{\underset{5}{10}} = \frac{14}{5} = 2\frac{4}{5}$$

보기 는 분자와 자연수를 곱한 후 약분하여 계산했어.

5
$$\frac{5}{6} \times 3$$

6
$$\frac{7}{12} \times 9$$

[7~10] 계산해 보세요.

7 $\frac{1}{7} \times 8$

8 $\frac{1}{6} \times 21$

9 $\frac{3}{14} \times 21$

10 $\frac{3}{20} \times 5$

개념 원리

✳ **(대분수)×(자연수)**

예) $1\frac{1}{5} \times 3$의 계산

(1) 계산 결과 예상하기

$1\frac{1}{5} \times 3$이 얼마쯤일지 예상해 봐.

1을 3배 한 양인 3과 $\frac{1}{5}$을 3배 한 양을 합하면 3보다 크고 4보다는 작을 것 같아.

(2) 계산 방법 알아보기

방법① 대분수를 가분수로 바꾸어 계산하기

대분수를 가분수로 바꾸기

$$1\frac{1}{5} \times 3 = \frac{6}{5} \times 3 = \frac{6\times3}{5} = \frac{18}{5} = 3\frac{❶\;\;}{5}$$

대분수를 가분수로 바꾼 후에 분수의 분모는 그대로 두고 분수의 분자와 자연수를 곱하여 계산합니다.

방법② 대분수를 자연수와 진분수의 합으로 보고 계산하기

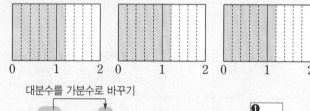

$$1\frac{1}{5} \times 3 = (1+1+1) + \left(\frac{1}{5}+\frac{1}{5}+\frac{1}{5}\right)$$
$$= (❷\;\;\times 3) + \left(\frac{1}{5}\times 3\right)$$
$$= 3 + \frac{3}{5} = 3\frac{❸\;\;}{5}$$

개념 체크

1 그림을 보고 □ 안에 알맞은 수를 써넣으세요.

(1)
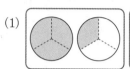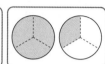

$$1\frac{1}{3} \times 2 = \frac{4}{3} \times 2 = \frac{\square \times 2}{3}$$
$$= \frac{\square}{3} = \square\frac{\square}{3}$$

(2)
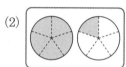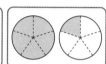

$$1\frac{1}{5} \times 2 = \frac{6}{5} \times 2 = \frac{\square \times 2}{5}$$
$$= \frac{\square}{5} = \square\frac{\square}{5}$$

2 $1\frac{1}{7} \times 3$을 두 가지 방법으로 계산하려고 합니다. □ 안에 알맞은 수를 써넣으세요.

방법①
$$1\frac{1}{7} \times 3 = \frac{\square}{7} \times 3 = \frac{\square \times 3}{7}$$
$$= \frac{\square}{7} = \square\frac{\square}{7}$$

방법②
$$1\frac{1}{7} \times 3 = (1+1+1) + \left(\frac{1}{7}+\frac{1}{7}+\frac{1}{7}\right)$$
$$= (1\times3) + \left(\frac{1}{7}\times3\right)$$
$$= 3 + \frac{\square}{7} = \square\frac{\square}{7}$$

정답 ❶3 ❷1 ❸3

[1~2] 대분수를 가분수로 바꾸어 계산하려고 합니다. □ 안에 알맞은 수를 써넣으세요.

1 $1\dfrac{2}{5} \times 2 = \dfrac{\square}{5} \times 2 = \dfrac{\square \times 2}{5}$

$\quad = \dfrac{\square}{5} = \square\dfrac{\square}{5}$

2 $1\dfrac{1}{2} \times 3 = \dfrac{\square}{2} \times 3 = \dfrac{\square \times 3}{2}$

$\quad = \dfrac{\square}{2} = \square\dfrac{\square}{2}$

[3~4] 대분수를 자연수와 진분수의 합으로 보고 계산하려고 합니다. □ 안에 알맞은 수를 써넣으세요.

3 $1\dfrac{1}{4} \times 3 = (1 \times 3) + \left(\dfrac{1}{4} \times \square\right)$

$\quad = \square + \dfrac{\square}{4} = \square\dfrac{\square}{4}$

4 $1\dfrac{2}{3} \times 4 = (1 \times 4) + \left(\dfrac{2}{3} \times \square\right)$

$\quad = 4 + \dfrac{\square}{3} = 4 + \square\dfrac{\square}{3} = \square\dfrac{\square}{3}$

[5~6] 예은이와 같은 방법으로 계산해 보세요.

$$1\dfrac{1}{8} \times 6 = \dfrac{9}{\underset{4}{8}} \times \overset{3}{6} = \dfrac{27}{4} = 6\dfrac{3}{4}$$

예은

5 $1\dfrac{1}{6} \times 4$

6 $1\dfrac{2}{9} \times 3$

[7~10] 계산해 보세요.

7 $1\dfrac{7}{8} \times 5$

8 $1\dfrac{1}{2} \times 7$

9 $2\dfrac{3}{10} \times 4$

10 $1\dfrac{5}{6} \times 8$

대분수를 가분수로 바꾸거나
자연수와 진분수의 합으로
보고 계산해.

2

분수의 곱셈

37

1 개념 빠삭 (진분수)×(자연수)

• $\dfrac{1}{7} \times 2$의 계산

$$\dfrac{1}{7} \times 2 = \dfrac{1}{7} + \dfrac{1}{7} = \dfrac{1 \times 2}{7} = \dfrac{\square}{7}$$

• $\dfrac{7}{12} \times 3$의 계산

방법① 분자와 자연수를 곱한 후 약분하여 계산하기

$$\dfrac{7}{12} \times 3 = \dfrac{7 \times 3}{12} = \dfrac{\overset{7}{21}}{\underset{4}{12}} = \dfrac{\square}{4} = 1\dfrac{3}{4}$$

방법② 주어진 곱셈식에서 분모와 자연수를 약분하여 계산하기

$$\dfrac{7}{\underset{4}{12}} \times \overset{1}{3} = \dfrac{7 \times 1}{4} = \dfrac{7}{4} = 1\dfrac{3}{4}$$

2 보기 와 같은 방법으로 계산해 보세요.

보기

$$\dfrac{3}{\underset{2}{4}} \times \overset{5}{10} = \dfrac{3 \times 5}{2} = \dfrac{15}{2} = 7\dfrac{1}{2}$$

$\dfrac{9}{10} \times 15$ _____

3 계산 결과가 $\dfrac{1}{5} \times 4$와 같은 것에 ○표 하세요.

$\dfrac{1}{5} + \dfrac{1}{5} + \dfrac{1}{5}$	$\dfrac{1 \times 4}{5}$	$\dfrac{1}{5 \times 4}$
( )	( )	( )

4 ㉠×㉡의 값을 구해 보세요.

㉠ $\dfrac{9}{16}$ ㉡ 24

(   )

5 계산 결과를 찾아 이어 보세요.

$\dfrac{1}{6} \times 13$ •

$\dfrac{3}{8} \times 12$ •

• $2\dfrac{1}{6}$

• $3\dfrac{5}{6}$

• $4\dfrac{1}{2}$

6 계산을 바르게 한 사람은 누구인가요?

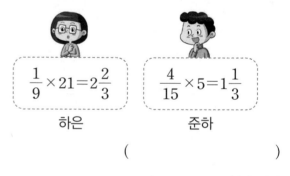

$\dfrac{1}{9} \times 21 = 2\dfrac{2}{3}$
하은

$\dfrac{4}{15} \times 5 = 1\dfrac{1}{3}$
준하

(   )

7 민서가 하루에 물을 $\dfrac{7}{8}$ L씩 마십니다. 민서가 4일 동안 마신 물은 모두 몇 L인가요?

식 _____ 꼭 단위까지 따라 쓰세요.

답 _____ L

2 분수의 곱셈

8 **개념 빠삭** (대분수)×(자연수)

• $1\dfrac{3}{4} \times 3$의 계산

방법① 대분수를 가분수로 바꾸어 계산하기

$$1\dfrac{3}{4} \times 3 = \dfrac{7}{4} \times 3 = \dfrac{7 \times 3}{4}$$

$$= \dfrac{\boxed{}}{4} = 5\dfrac{1}{4}$$

방법② 대분수를 자연수와 진분수의 합으로 보고 계산하기

$$1\dfrac{3}{4} \times 3 = (1 \times 3) + \left(\dfrac{3}{4} \times 3\right)$$

$$= 3 + \dfrac{9}{4} = 3 + \boxed{}\dfrac{1}{4} = 5\dfrac{1}{4}$$

9 ㉠, ㉡, ㉢에 알맞은 수를 각각 구해 보세요.

$$2\dfrac{3}{5} \times 2 = (2 \times 2) + \left(\dfrac{3}{5} \times \boxed{㉠}\right)$$

$$= 4 + \dfrac{\boxed{㉡}}{5} = \boxed{㉢}$$

㉠ (   )

㉡ (   )

㉢ (   )

10 ☐ 안에 알맞은 수를 써넣으세요.

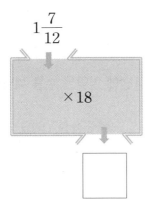

$1\dfrac{7}{12}$

×18

추론

11 계산에서 잘못된 부분을 찾아 바르게 고쳐 보세요.

$$3\dfrac{1}{3} \times 5 = \dfrac{10}{3} \times 5 = \dfrac{10 \times 5}{3 \times 5}$$

$$= \dfrac{\overset{10}{\cancel{50}}}{\underset{3}{\cancel{15}}} = \dfrac{10}{3} = 3\dfrac{1}{3}$$

$$3\dfrac{1}{3} \times 5$$

12 계산 결과가 같은 것끼리 같은 색을 칠해 보세요.

$1\dfrac{5}{8} \times 6$	$1\dfrac{3}{10} \times 15$
$\dfrac{13}{8} \times 6$	$\dfrac{13}{2} \times 3$

13 한 변의 길이가 $1\dfrac{1}{4}$ cm인 정육각형입니다. 이 정육각형의 둘레는 몇 cm인가요?

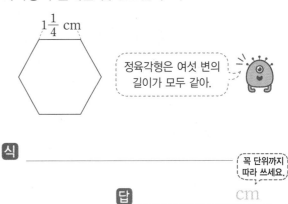

$1\dfrac{1}{4}$ cm

정육각형은 여섯 변의 길이가 모두 같아.

식 _____ (꼭 단위까지 따라 쓰세요.)

답 _____ cm

개념 빠삭

❸ (자연수)×(진분수)를 알아볼까요

개념 원리

① 자연수가 분모의 배수인 (자연수)×(진분수)

예 $10 \times \dfrac{2}{5}$의 계산

(1) 그림으로 알아보기

10의 $\dfrac{1}{5}$ ➡ $10 \times \dfrac{1}{5}$

└ 10을 5등분한 것 중 1 ➡ $10 \times \dfrac{1}{5} = 2$

10의 $\dfrac{2}{5}$ ➡ $10 \times \dfrac{2}{5}$

└ 10을 5등분한 것 중 2 ➡ $10 \times \dfrac{2}{5} = 4$

$10 \times \dfrac{2}{5}$는 $10 \times \dfrac{1}{5}$의 2배 ➡ $10 \times \dfrac{2}{5} = 10 \times \dfrac{1}{5} \times 2 = 4$

(2) 계산 방법 알아보기

$\dfrac{2}{5} \times 10$의 계산 방법을 이용합니다.

$10 \times \dfrac{2}{5} = \dfrac{2}{5} \times 10 = \dfrac{2 \times 10}{5} = \dfrac{\overset{2}{\cancel{10}} \times 2}{\underset{1}{\cancel{5}}} = ❶\boxed{}$

자연수와 진분수의 분자를 곱합니다.

② 자연수가 분모의 배수가 아닌 (자연수)×(진분수)

예 $2 \times \dfrac{3}{5}$의 계산

(1) 그림으로 알아보기

$2 \times \dfrac{1}{5}$ ➡

$2 \times \dfrac{3}{5}$ ➡

$2 \times \dfrac{3}{5} = 1 \times \dfrac{3}{5} \times 2 = \dfrac{3}{5} \times 2 = \dfrac{6}{5} = 1\dfrac{1}{5}$

(2) 계산 방법 알아보기

$\dfrac{3}{5} \times 2$의 계산 방법을 이용합니다.

$2 \times \dfrac{3}{5} = \dfrac{3}{5} \times 2 = \dfrac{3 \times 2}{5} = \dfrac{2 \times 3}{5} = \dfrac{❷\boxed{}}{5} = 1\dfrac{❸\boxed{}}{5}$

자연수와 진분수의 분자를 곱합니다.

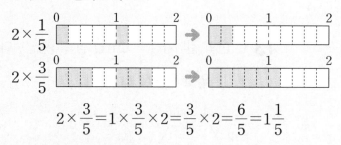

(자연수)×(진분수)는 (진분수)×(자연수)와 같이
진분수의 분모는 그대로 두고
자연수와 진분수의 분자를 곱하여 계산해.

개념 체크

1 계산식에 알맞게 색칠하고 □ 안에 알맞은 수를 써넣으세요.

(1)
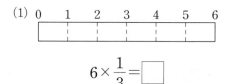

$6 \times \dfrac{1}{3} = \boxed{}$

(2)
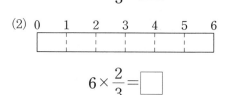

$6 \times \dfrac{2}{3} = \boxed{}$

2 그림을 보고 □ 안에 알맞은 수를 써넣으세요.

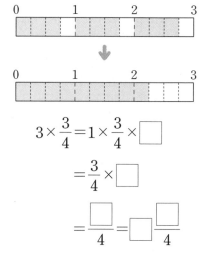

$3 \times \dfrac{3}{4} = 1 \times \dfrac{3}{4} \times \boxed{}$

$= \dfrac{3}{4} \times \boxed{}$

$= \dfrac{\boxed{}}{4} = \boxed{} \dfrac{\boxed{}}{4}$

3 □ 안에 알맞은 수를 써넣으세요.

$5 \times \dfrac{2}{7} = \dfrac{2}{7} \times 5 = \dfrac{\boxed{} \times 5}{7}$

$= \dfrac{5 \times \boxed{}}{7} = \dfrac{\boxed{}}{7} = \boxed{} \dfrac{\boxed{}}{7}$

 정답 ❶ 4 ❷ 6 ❸ 1

정답 및 풀이 7쪽

[1~2] $6 \times \dfrac{7}{8}$을 두 가지 방법으로 계산하려고 합니다. ☐ 안에 알맞은 수를 써넣으세요.

1 $6 \times \dfrac{7}{8} = \dfrac{6 \times 7}{8} = \dfrac{\overset{\square}{42}}{\underset{4}{8}} = \dfrac{\square}{4} = \square\dfrac{\square}{4}$

2 $\dfrac{\square}{\underset{4}{6}} \times \dfrac{7}{8} = \dfrac{\square \times 7}{4} = \dfrac{\square}{4} = \square\dfrac{\square}{4}$

[3~4] 보기 와 같은 방법으로 계산해 보세요.

보기

$$14 \times \dfrac{3}{4} = \dfrac{14 \times 3}{\underset{2}{4}} = \dfrac{21}{2} = 10\dfrac{1}{2}$$

3

$10 \times \dfrac{1}{6}$

4

$9 \times \dfrac{4}{15}$

2

분수의 곱셈

41

[5~10] 계산해 보세요.

5 $35 \times \dfrac{1}{7}$

6 $30 \times \dfrac{7}{18}$

여러 가지 방법 중
편리한 방법으로 계산해.

7 $56 \times \dfrac{5}{21}$

8 $9 \times \dfrac{7}{10}$

9 $42 \times \dfrac{5}{6}$

10 $20 \times \dfrac{5}{16}$

개념 원리

❶ (자연수)×(대분수)

예) $3 \times 1\frac{1}{5}$의 계산

(1) 계산 결과 예상하기

> $3 \times 1\frac{1}{5}$은 3의 1배보다 크므로 3보다 클 것 같아.

(2) 계산 방법 알아보기

방법❶ 대분수를 가분수로 바꾸어 계산하기

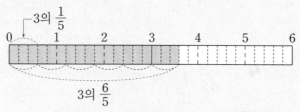

3의 $\frac{6}{5}$

$$3 \times 1\frac{1}{5} = 3 \times \frac{6}{5} = \frac{3 \times 6}{5} = \frac{18}{5} = 3\frac{❶\ }{5}$$

> 대분수를 가분수로 바꾼 후에 분수의 분모는 그대로 두고 자연수와 분수의 분자를 곱하여 계산합니다.

방법❷ 대분수를 자연수와 진분수의 합으로 보고 계산하기

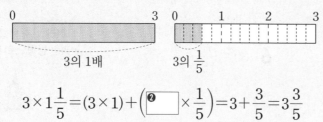

3의 1배   3의 $\frac{1}{5}$

$$3 \times 1\frac{1}{5} = (3 \times 1) + \left(❷\ \times \frac{1}{5}\right) = 3 + \frac{3}{5} = 3\frac{3}{5}$$

❷ (자연수)×(대분수)에서 계산 결과 비교하기

예) 5에 대분수 $1\frac{1}{2}$을 곱하면 계산 결과는 5보다 큽니다.

$$5 \ ❸\bigcirc \ 5 \times 1\frac{1}{2}$$

> 곱하는 수가 1보다 크면 계산 결과는 처음 수보다 크고, 곱하는 수가 1보다 작으면 계산 결과는 처음 수보다 작습니다.

개념 체크

1 그림을 보고 $2 \times 1\frac{1}{3}$을 두 가지 방법으로 계산하려고 합니다. □ 안에 알맞은 수를 써넣으세요.

방법❶

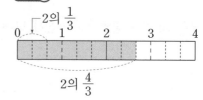

2의 $\frac{4}{3}$

$$2 \times 1\frac{1}{3} = 2 \times \frac{4}{3} = \frac{2 \times 4}{3}$$
$$= \frac{\square}{3} = \square\frac{\square}{3}$$

방법❷

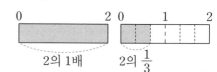

2의 1배   2의 $\frac{1}{3}$

$$2 \times 1\frac{1}{3} = (2 \times 1) + \left(\square \times \frac{1}{3}\right)$$
$$= 2 + \frac{\square}{3} = \square\frac{\square}{3}$$

2 □ 안에 알맞은 수를 써넣으세요.

$$5 \times 1\frac{1}{4} = 5 \times \frac{\square}{4} = \frac{5 \times \square}{4}$$
$$= \frac{\square}{4} = \square\frac{\square}{4}$$

3 ○ 안에 >, =, <를 알맞게 써넣으세요.

$$4 \ \bigcirc \ 4 \times 1\frac{1}{7}$$

정답 및 풀이 8쪽

[1~2] $5 \times 3\frac{1}{2}$을 두 가지 방법으로 계산하려고 합니다. □ 안에 알맞은 수를 써넣으세요.

1 $5 \times 3\frac{1}{2} = 5 \times \dfrac{\boxed{}}{2} = \dfrac{5 \times \boxed{}}{2}$

$= \dfrac{\boxed{}}{2} = \boxed{} \dfrac{\boxed{}}{2}$

2 $5 \times 3\frac{1}{2} = (5 \times 3) + \left(5 \times \dfrac{\boxed{}}{2}\right)$

$= 15 + \dfrac{\boxed{}}{2} = 15 + \boxed{} \dfrac{\boxed{}}{2} = \boxed{} \dfrac{\boxed{}}{2}$

[3~4] 도현이와 같은 방법으로 계산해 보세요.

도현

$6 \times 1\frac{2}{9} = (6 \times 1) + \left(\overset{2}{6} \times \frac{2}{\underset{3}{9}}\right) = 6 + \frac{4}{3} = 6 + 1\frac{1}{3} = 7\frac{1}{3}$

도현이는 대분수를 자연수와 진분수의 합으로 보고 계산했어.

3

$9 \times 1\frac{5}{6}$

4

$10 \times 2\frac{1}{4}$

[5~10] 계산해 보세요.

5 $6 \times 3\frac{3}{4}$

6 $10 \times 1\frac{5}{8}$

7 $2 \times 4\frac{5}{6}$

8 $4 \times 3\frac{1}{8}$

9 $8 \times 1\frac{5}{12}$

10 $9 \times 2\frac{4}{5}$

2

분수의 곱셈

43

2단계

분수의 곱셈

2

44

1 개념 빠삭 　(자연수)×(진분수)

- $12 \times \dfrac{5}{8}$의 계산

방법❶ 자연수와 분자를 곱한 후 약분하여 계산하기

$$12 \times \frac{5}{8} = \frac{12 \times 5}{8} = \frac{\overset{15}{\cancel{60}}}{\underset{2}{\cancel{8}}}$$

$$= \frac{\boxed{}}{2} = 7\frac{1}{2}$$

방법❷ 주어진 곱셈식에서 자연수와 분모를 약분하여 계산하기

$$\overset{\boxed{}}{\underset{2}{\cancel{12}}} \times \frac{5}{8} = \frac{3 \times 5}{2} = \frac{15}{2} = 7\frac{1}{2}$$

2 그림을 보고 알맞게 설명한 것에 ○표 하세요.

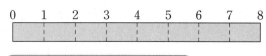

$8 \times \dfrac{1}{4}$은 4입니다. 　(　)

$8 \times \dfrac{3}{4}$은 8보다 작습니다. 　(　)

추론

3 계산에서 잘못된 부분을 찾아 바르게 고쳐 보세요.

$$15 \times \frac{3}{4} = \frac{3}{15 \times 4} = \frac{\overset{1}{\cancel{3}}}{\underset{20}{\cancel{60}}} = \frac{1}{20}$$

$15 \times \dfrac{3}{4}$

4 $4 \times \dfrac{5}{7}$와 계산 결과가 <u>다른</u> 식을 찾아 ○표 하세요.

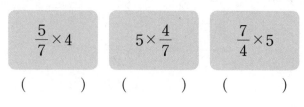

| $\dfrac{5}{7} \times 4$ | $5 \times \dfrac{4}{7}$ | $\dfrac{7}{4} \times 5$ |

(　　) 　(　　) 　(　　)

5 민준이의 물음에 대한 답을 구하세요.

민준

1 L는 1000 mL야.
1 L의 $\dfrac{1}{2}$은 몇 mL일까?

꼭 단위까지 따라 쓰세요.

(　　　　 mL 　)

6 계산 결과가 더 큰 것을 찾아 기호를 써 보세요.

㉠ 12×1 　　 ㉡ $12 \times \dfrac{9}{15}$

(　　　　　　　)

7 사탕이 25개 있습니다. 이 중 전체의 $\dfrac{4}{5}$를 먹었습니다. 먹은 사탕은 **몇** 개인가요?

식 _____

답 _____ 개

8 개념 빠삭 (자연수)×(대분수)

· $6 \times 1\frac{2}{5}$ 의 계산

방법① 대분수를 가분수로 바꾸어 계산하기

$$6 \times 1\frac{2}{5} = 6 \times \frac{7}{5} = \frac{\boxed{} \times 7}{5}$$

$$= \frac{42}{5} = 8\frac{2}{5}$$

방법② 대분수를 자연수와 진분수의 합으로 보고 계산하기

$$6 \times 1\frac{2}{5} = (6 \times 1) + \left(6 \times \frac{2}{5}\right)$$

$$= 6 + \frac{\boxed{}}{5} = 6 + 2\frac{2}{5} = 8\frac{2}{5}$$

9 얼룩이 묻어 지워진 곳에 알맞은 수를 구해 보세요.

$$5 \times 1\frac{1}{9} = 5\frac{}{9}$$

( )

10 (자연수)×(대분수)의 계산을 배운 내용으로 수학 일기를 완성해 보세요.

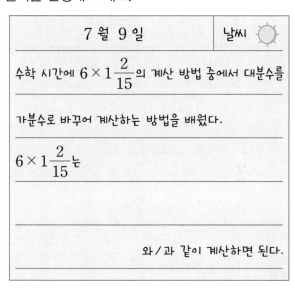

7월 9일 　　날씨 ☀

수학 시간에 $6 \times 1\frac{2}{15}$ 의 계산 방법 중에서 대분수를

가분수로 바꾸어 계산하는 방법을 배웠다.

$6 \times 1\frac{2}{15}$ 는

와/과 같이 계산하면 된다.

11 두 수의 곱을 구해 보세요.

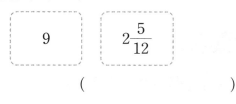

9 　　　 $2\frac{5}{12}$

( )

12 계산 결과가 같은 것끼리 이어 보세요.

$2\frac{2}{9} \times 4$ ·

$1\frac{1}{9} \times 2$ ·

· $2 \times \frac{10}{9}$

· $4 \times 2\frac{2}{9}$

13 계산 결과가 10보다 큰 식을 찾아 기호를 써 보세요.

㉠ $10 \times 1\frac{1}{13}$ 　　㉡ $10 \times \frac{6}{7}$ 　　㉢ 10×1

( )

14 가로가 8 cm, 세로가 $5\frac{11}{20}$ cm인 직사각형 모양의 수첩이 있습니다. 이 수첩 한 장의 넓이는 몇 cm²인 가요?

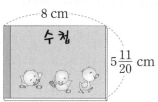

8 cm

수첩

$5\frac{11}{20}$ cm

식 _____ 　꼭 단위까지 따라 쓰세요.

답 _____ cm²

2

분수의 곱셈

개념 빠삭

❺ (단위분수)×(단위분수)를 알아볼까요

개념 원리

❶ (단위분수)×(단위분수)

예) $\dfrac{1}{2} \times \dfrac{1}{3}$의 계산

(1) 그림으로 알아보기

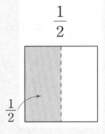 →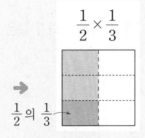

① 전체를 2등분하고 다시 각각의 조각을 3등분하면 똑같이 6칸으로 나누어집니다.

② $\dfrac{1}{2} \times \dfrac{1}{3}$은 전체를 6등분한 것 중의 하나의 값이므로 $\dfrac{1}{6}$입니다.

$$\dfrac{1}{2} \times \dfrac{1}{3} = \dfrac{1}{\boxed{❶}}$$

(2) 계산 방법 알아보기

$$\dfrac{1}{2} \times \dfrac{1}{3} = \dfrac{1 \times 1}{2 \times 3} = \dfrac{1}{\boxed{❷}}$$

> (단위분수)×(단위분수)는 분자는 분자끼리, 분모는 분모끼리 곱하여 계산합니다.

❷ (단위분수)×(단위분수)에서 계산 결과 비교하기

예) 단위분수 $\dfrac{1}{4}$에 단위분수 $\dfrac{1}{8}$을 곱하면 계산 결과는 $\dfrac{1}{4}$보다 작습니다.

$$\dfrac{1}{4} \;\boxed{❸}\bigcirc\; \dfrac{1}{4} \times \dfrac{1}{8}$$

> 곱하는 수가 1보다 작으면 계산 결과는 처음 수보다 작아집니다.

개념 체크

1 그림을 보고 □ 안에 알맞은 수를 써넣으세요.

(1)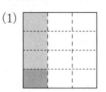

$$\dfrac{1}{3} \times \dfrac{1}{4} = \dfrac{1}{\boxed{}}$$

(2)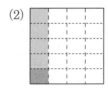

$$\dfrac{1}{4} \times \dfrac{1}{5} = \dfrac{1}{\boxed{}}$$

2 □ 안에 알맞은 수를 써넣으세요.

(1) $\dfrac{1}{3} \times \dfrac{1}{5} = \dfrac{1 \times 1}{3 \times \boxed{}} = \dfrac{1}{\boxed{}}$

(2) $\dfrac{1}{8} \times \dfrac{1}{2} = \dfrac{1 \times 1}{8 \times \boxed{}} = \dfrac{1}{\boxed{}}$

3 ○ 안에 >, =, <를 알맞게 써넣으세요.

(1) $\dfrac{1}{3} \;\bigcirc\; \dfrac{1}{3} \times \dfrac{1}{6}$

(2) $\dfrac{1}{2} \times \dfrac{1}{5} \;\bigcirc\; \dfrac{1}{2}$

[1~2] 그림을 보고 □ 안에 알맞은 수를 써넣으세요.

1

$$\frac{1}{2} \times \frac{1}{4} = \frac{1 \times 1}{\square \times \square} = \frac{1}{\square}$$

2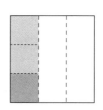

$$\frac{1}{3} \times \frac{1}{3} = \frac{1 \times 1}{\square \times \square} = \frac{1}{\square}$$

[3~6] □ 안에 알맞은 수를 써넣으세요.

3 $\frac{1}{9} \times \frac{1}{2} = \frac{1 \times 1}{\square \times \square} = \frac{1}{\square}$

4 $\frac{1}{4} \times \frac{1}{6} = \frac{1 \times 1}{\square \times \square} = \frac{1}{\square}$

5 $\frac{1}{7} \times \frac{1}{5} = \frac{1 \times 1}{\square \times \square} = \frac{\square}{\square}$

6 $\frac{1}{8} \times \frac{1}{3} = \frac{1 \times 1}{\square \times \square} = \frac{\square}{\square}$

[7~12] 계산해 보세요.

7 $\frac{1}{4} \times \frac{1}{4}$

8 $\frac{1}{3} \times \frac{1}{7}$

9 $\frac{1}{9} \times \frac{1}{8}$

10 $\frac{1}{6} \times \frac{1}{5}$

11 $\frac{1}{4} \times \frac{1}{9}$

12 $\frac{1}{5} \times \frac{1}{9}$

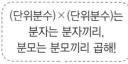

(단위분수)×(단위분수)는
분자는 분자끼리,
분모는 분모끼리 곱해!

2

분수의 곱셈

47

개념 원리

❶ (진분수)×(단위분수)

㉠ $\dfrac{2}{3} \times \dfrac{1}{5}$의 계산

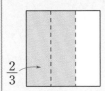 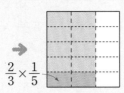

$\dfrac{2}{3} \times \dfrac{1}{5}$을 그림으로 이렇게 나타낼 수도 있어.

$\dfrac{2}{3} \times \dfrac{1}{5}$은 $\dfrac{1}{3} \times \dfrac{1}{5} = \dfrac{1}{3 \times 5}$의 2배입니다.

$$\dfrac{2}{3} \times \dfrac{1}{5} = \dfrac{1}{3 \times 5} \times 2 = \dfrac{1 \times 2}{3 \times 5} = \dfrac{2 \times 1}{3 \times 5} = \dfrac{❶\boxed{}}{15}$$

분자는 분자끼리, 분모는 분모끼리 곱합니다.

❷ (진분수)×(진분수)

㉠ $\dfrac{2}{3} \times \dfrac{4}{5}$의 계산

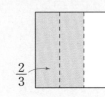 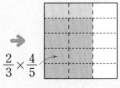

$\dfrac{2}{3} \times \dfrac{4}{5}$는 $\dfrac{2}{3} \times \dfrac{1}{5} = \dfrac{2}{3 \times 5}$의 4배입니다.

$$\dfrac{2}{3} \times \dfrac{4}{5} = \dfrac{2 \times 4}{3 \times 5} = \dfrac{❷\boxed{}}{15}$$

(진분수)×(진분수)는 분자는 분자끼리, 분모는 분모끼리 곱하여 계산합니다.

❸ 세 분수의 곱셈

㉠ $\dfrac{1}{4} \times \dfrac{1}{2} \times \dfrac{3}{5}$의 계산

$$\dfrac{1}{4} \times \dfrac{1}{2} \times \dfrac{3}{5} = \dfrac{1 \times 1 \times 3}{4 \times 2 \times 5} = \dfrac{❸\boxed{}}{40}$$

세 분수의 곱셈은 분자는 분자끼리, 분모는 분모끼리 곱하여 계산합니다.

개념 체크

1 그림을 보고 □ 안에 알맞은 수를 써넣으세요.

(1)

$$\dfrac{3}{5} \times \dfrac{1}{4} = \dfrac{\boxed{}}{\boxed{}}$$

(2)

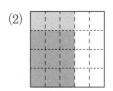

$$\dfrac{3}{5} \times \dfrac{3}{4} = \dfrac{\boxed{}}{\boxed{}}$$

2 □ 안에 알맞은 수를 써넣으세요.

(1) $\dfrac{3}{8} \times \dfrac{1}{2} = \dfrac{3 \times 1}{8 \times \boxed{}} = \dfrac{\boxed{}}{\boxed{}}$

(2) $\dfrac{5}{6} \times \dfrac{5}{7} = \dfrac{5 \times \boxed{}}{6 \times \boxed{}} = \dfrac{\boxed{}}{\boxed{}}$

(3) $\dfrac{1}{5} \times \dfrac{1}{3} \times \dfrac{2}{5} = \dfrac{1 \times 1 \times \boxed{}}{5 \times \boxed{} \times \boxed{}}$

$= \dfrac{\boxed{}}{\boxed{}}$

[1~2] 그림을 보고 □ 안에 알맞은 수를 써넣으세요.

1

$$\frac{3}{4} \times \frac{1}{2} = \frac{\boxed{} \times 1}{4 \times \boxed{}} = \frac{\boxed{}}{\boxed{}}$$

2

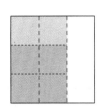

$$\frac{2}{3} \times \frac{2}{3} = \frac{2 \times \boxed{}}{3 \times \boxed{}} = \frac{\boxed{}}{\boxed{}}$$

[3~6] □ 안에 알맞은 수를 써넣으세요.

3 $\dfrac{4}{7} \times \dfrac{1}{9} = \dfrac{4 \times 1}{\boxed{} \times \boxed{}} = \dfrac{4}{\boxed{}}$

4 $\dfrac{5}{9} \times \dfrac{7}{8} = \dfrac{5 \times \boxed{}}{9 \times \boxed{}} = \dfrac{\boxed{}}{\boxed{}}$

5 $\dfrac{1}{3} \times \dfrac{2}{3} \times \dfrac{7}{9} = \dfrac{1 \times \boxed{} \times \boxed{}}{3 \times 3 \times 9} = \dfrac{\boxed{}}{\boxed{}}$

6 $\dfrac{3}{7} \times \dfrac{1}{5} \times \dfrac{3}{4} = \dfrac{3 \times \boxed{} \times \boxed{}}{7 \times 5 \times \boxed{}} = \dfrac{\boxed{}}{\boxed{}}$

[7~12] 계산해 보세요.

7 $\dfrac{5}{7} \times \dfrac{3}{4}$

8 $\dfrac{5}{27} \times \dfrac{9}{10}$

약분할 때
분자끼리 약분하거나
분모끼리 약분하면 안 돼!

9 $\dfrac{2}{9} \times \dfrac{3}{8}$

10 $\dfrac{10}{11} \times \dfrac{5}{6}$

11 $\dfrac{1}{2} \times \dfrac{2}{3} \times \dfrac{1}{4}$

12 $\dfrac{2}{9} \times \dfrac{5}{7} \times \dfrac{3}{8}$

개념 원리

❶ (대분수)×(대분수)

㉠ $2\frac{2}{3} \times 1\frac{1}{4}$ 의 계산 방법

방법① | 방법②

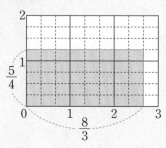

$\frac{8}{3}$

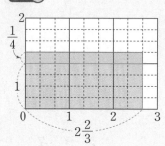

$2\frac{2}{3}$

방법① 대분수를 가분수로 바꾸어 계산하기

$$2\frac{2}{3} \times 1\frac{1}{4} = \frac{8}{3} \times \frac{\overset{2}{5}}{\underset{1}{4}} = \frac{10}{3} = 3\boxed{}^{❶}_{3}$$

방법② 대분수를 자연수와 진분수의 합으로 보고 계산하기

$$2\frac{2}{3} \times 1\frac{1}{4} = \left(2\frac{2}{3} \times 1\right) + \left(2\frac{2}{3} \times \frac{1}{4}\right)$$

$$= 2\frac{2}{3} + \left(\frac{8}{3} \times \frac{1}{\underset{1}{4}}\overset{2}{}\right) = 2\frac{2}{3} + \frac{2}{3} = 3\frac{1}{3}$$

❷ 여러 가지 분수의 곱셈

(1) (자연수)×(분수)

$$9 \times \frac{3}{7} = \frac{9}{1} \times \frac{3}{7} = \frac{9 \times 3}{1 \times 7} = \frac{27}{7} = 3\frac{6}{7}$$

> (자연수)는 $\frac{(자연수)}{1}$ 로 나타낼 수 있어.

(2) (분수)×(자연수)

$$\frac{5}{6} \times 5 = \frac{5}{6} \times \frac{5}{\boxed{}^{❷}} = \frac{5 \times 5}{6 \times 1} = \frac{25}{6} = 4\frac{1}{6}$$

(3) (분수)×(분수)

$$\frac{1}{4} \times 1\frac{2}{3} = \frac{1}{4} \times \frac{5}{3} = \frac{1 \times 5}{4 \times 3} = \frac{5}{\boxed{}^{❸}}$$

> (자연수)×(분수), (분수)×(자연수), (분수)×(분수)는 모두 진분수나 가분수 형태로 바꾼 후 분자는 분자끼리, 분모는 분모끼리 곱하여 계산합니다.

개념 체크

1 그림을 보고 $2\frac{1}{4} \times 1\frac{1}{3}$ 을 두 가지 방법으로 계산하려고 합니다. □ 안에 알맞은 수를 써넣으세요.

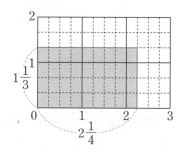

$1\frac{1}{3}$

$2\frac{1}{4}$

방법①

$$2\frac{1}{4} \times 1\frac{1}{3} = \frac{\boxed{}}{4} \times \frac{\boxed{}}{3}$$

$$= \frac{\boxed{}}{12} = \boxed{}$$

방법②

$$2\frac{1}{4} \times 1\frac{1}{3} = \left(2\frac{1}{4} \times \boxed{}\right) + \left(2\frac{1}{4} \times \frac{1}{3}\right)$$

$$= 2\frac{1}{4} + \left(\frac{\boxed{}}{4} \times \frac{1}{\underset{1}{3}}\overset{}{}\right)$$

$$= 2\frac{1}{4} + \frac{\boxed{}}{4} = \boxed{}$$

2 □ 안에 알맞은 수를 써넣으세요.

$$3 \times \frac{4}{5} = \frac{3}{\boxed{}} \times \frac{4}{5} = \frac{\boxed{} \times 4}{\boxed{} \times 5}$$

$$= \frac{\boxed{}}{5} = \boxed{}\frac{\boxed{}}{5}$$

[1~2] 그림을 보고 □ 안에 알맞은 수를 써넣으세요.

1
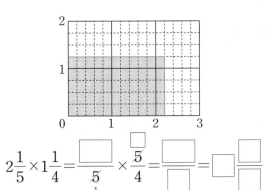

$$2\frac{1}{5} \times 1\frac{1}{4} = \frac{\boxed{}}{\underset{1}{5}} \times \frac{\overset{\boxed{}}{5}}{4} = \frac{\boxed{}}{\boxed{}} = \boxed{}\frac{\boxed{}}{\boxed{}}$$

2
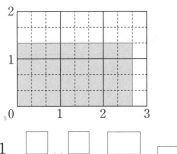

$$2\frac{2}{3} \times 1\frac{1}{3} = \frac{\boxed{}}{3} \times \frac{\boxed{}}{3} = \frac{\boxed{}}{\boxed{}} = \boxed{}\frac{\boxed{}}{\boxed{}}$$

[3~4] (분수)×(분수)의 계산 방법을 이용하여 계산해 보세요.

3 $4 \times \frac{5}{7} = \frac{\boxed{}}{1} \times \frac{5}{7} = \frac{\boxed{} \times 5}{1 \times 7} = \frac{\boxed{}}{\boxed{}} = \boxed{}\frac{\boxed{}}{\boxed{}}$

4 $\frac{7}{8} \times 3 = \frac{7}{8} \times \frac{\boxed{}}{1} = \frac{7 \times \boxed{}}{8 \times 1} = \frac{\boxed{}}{\boxed{}} = \boxed{}\frac{\boxed{}}{\boxed{}}$

[5~6] 보기와 같은 방법으로 계산해 보세요.

보기
$$1\frac{1}{6} \times 1\frac{1}{7} = \frac{\overset{1}{7}}{\underset{3}{6}} \times \frac{\overset{4}{8}}{\underset{1}{7}} = \frac{4}{3} = 1\frac{1}{3}$$

먼저 대분수를 가분수로 바꾸어야 해.

5 $4\frac{1}{5} \times 2\frac{4}{7}$

6 $2\frac{7}{10} \times 3\frac{1}{3}$

[7~10] 계산해 보세요.

7 $\frac{2}{9} \times 4$

8 $1\frac{3}{5} \times \frac{5}{7}$

9 $1\frac{1}{4} \times 2\frac{2}{9}$

10 $2\frac{5}{8} \times 1\frac{3}{7}$

1 개념 빠삭 (단위분수)×(단위분수)

• $\dfrac{1}{3} \times \dfrac{1}{9}$ 의 계산

$$\dfrac{1}{3} \times \dfrac{1}{9} = \dfrac{1 \times 1}{3 \times 9} = \dfrac{1}{\boxed{}}$$

➡ 분자는 분자끼리, 분모는 $\boxed{}$ 끼리 곱하여 계산합니다.

5 개념 빠삭 (진분수)×(진분수)

• $\dfrac{5}{8} \times \dfrac{3}{10}$ 의 계산

$$\dfrac{5}{8} \times \dfrac{3}{10} = \dfrac{\overset{1}{5} \times 3}{8 \times \underset{2}{10}} = \dfrac{\boxed{}}{16}$$

➡ 분자는 $\boxed{}$ 끼리, 분모는 분모끼리 곱하여 계산합니다.

2 빈칸에 알맞은 수를 써넣으세요.

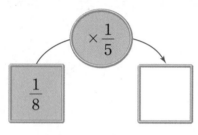

6 서윤이와 같은 방법으로 계산해 보세요.

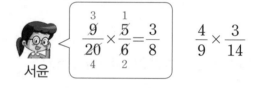

서윤

$\dfrac{\overset{3}{9}}{\underset{4}{20}} \times \dfrac{\overset{1}{5}}{\underset{2}{6}} = \dfrac{3}{8}$ $\dfrac{4}{9} \times \dfrac{3}{14}$

3 더 큰 쪽에 ○표 하세요.

$\boxed{\dfrac{1}{7} \times \dfrac{1}{9}}$ $\boxed{\dfrac{1}{7}}$

(   )   (   )

7 □ 안에 알맞은 수를 써넣으세요.

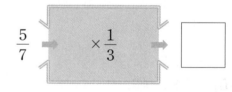

$\dfrac{5}{7}$ $\times \dfrac{1}{3}$ $\boxed{}$

4 수 카드 중에서 두 장을 사용하여 분수의 곱셈을 만들려고 합니다. 계산 결과가 가장 작은 식을 구해 보세요.

$\boxed{3}$ $\boxed{4}$ $\boxed{5}$ $\boxed{6}$ $\boxed{7}$

식 $\dfrac{1}{\boxed{}} \times \dfrac{1}{\boxed{}}$

8 ○ 안에 >, =, <를 알맞게 써넣으세요.

$\dfrac{4}{9} \times \dfrac{1}{2}$ ○ $\dfrac{4}{9} \times \dfrac{1}{3}$

9 세 분수의 곱을 구해 보세요.

$$\frac{3}{4} \qquad \frac{1}{2} \qquad \frac{6}{11}$$

( )

10 서점에 있는 책 전체의 $\frac{2}{9}$는 아동 도서이고, 그중 $\frac{3}{7}$은 동화책입니다. 동화책은 서점에 있는 책 전체의 몇 분의 몇인가요?

식 _____

답 _____

11 개념 빠삭 **여러 가지 분수의 곱셈**

• $4\frac{1}{2} \times 3\frac{5}{6}$의 계산

$$4\frac{1}{2} \times 3\frac{5}{6} = \frac{9}{2} \times \frac{\overset{3}{23}}{\underset{2}{6}} = \frac{69}{4} = \boxed{}\frac{1}{4}$$

➡ 대분수를 가분수로 바꾼 후 분자는 분자끼리, 분모는 분모끼리 곱하여 계산할 수 있습니다.

• $8 \times \frac{2}{3}$의 계산 → (분수)×(분수)의 계산 방법을 이용

$$8 \times \frac{2}{3} = \frac{8}{1} \times \frac{2}{3} = \frac{8 \times 2}{1 \times 3} = \frac{16}{3} = 5\frac{\boxed{}}{3}$$

➡ (자연수)는 $\dfrac{(자연수)}{1}$로 나타내고 분자는 분자끼리, 분모는 분모끼리 곱하여 계산합니다.

12 (분수)×(분수)의 계산 방법을 이용하여 계산한 것입니다. ㉠, ㉡, ㉢에 알맞은 수를 구해 보세요.

$$\frac{7}{9} \times 10 = \frac{7}{9} \times \frac{\boxed{㉠}}{1} = \frac{7 \times 10}{9 \times 1} = \frac{\boxed{㉡}}{9} = 7\frac{\boxed{㉢}}{9}$$

㉠ ( ), ㉡ ( ), ㉢ ( )

13 그림을 보고 □ 안에 알맞은 수를 써넣으세요.

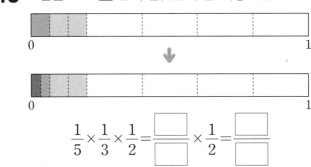

$$\frac{1}{5} \times \frac{1}{3} \times \frac{1}{2} = \frac{\boxed{}}{\boxed{}} \times \frac{1}{2} = \frac{\boxed{}}{\boxed{}}$$

추론

14 계산에서 잘못된 부분을 찾아 바르게 고쳐 보세요.

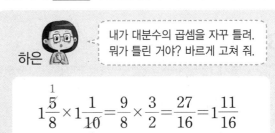

하은 : 내가 대분수의 곱셈을 자꾸 틀려. 뭐가 틀린 거야? 바르게 고쳐 줘.

$$1\frac{5}{8} \times 1\frac{1}{10} = \frac{9}{8} \times \frac{3}{2} = \frac{27}{16} = 1\frac{11}{16}$$

$$1\frac{5}{8} \times 1\frac{1}{10}$$

문제 해결

15 한 변의 길이가 $1\frac{1}{5}$ m인 정사각형입니다. 이 정사각형의 넓이는 **몇 m²**인가요?

$1\frac{1}{5}$ m

꼭 단위까지 따라 쓰세요.

(m²)

2

분수의 곱셈

53

평가 **2단원** 빠삭

1 그림을 보고 □ 안에 알맞은 수를 써넣으세요.

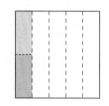

$$\frac{1}{5} \times \frac{1}{2} = \frac{1 \times 1}{\square \times \square} = \frac{1}{\square}$$

2 □ 안에 알맞은 수를 써넣으세요.

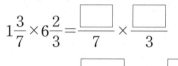

$$1\frac{3}{7} \times 6\frac{2}{3} = \frac{\square}{7} \times \frac{\square}{3}$$

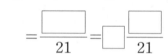

$$= \frac{\square}{21} = \square\frac{\square}{21}$$

대분수를 가분수로
바꾸어 계산해.

3 보기 와 같은 방법으로 계산해 보세요.

보기

$$6 \times 3\frac{1}{4} = (6 \times 3) + \left(\overset{3}{\underset{}{6}} \times \frac{1}{\underset{2}{4}}\right)$$

$$= 18 + \frac{3}{2} = 18 + 1\frac{1}{2} = 19\frac{1}{2}$$

$$7 \times 2\frac{5}{21}$$

4 계산해 보세요.

$$\frac{2}{3} \times \frac{6}{11}$$

5 빈칸에 알맞은 수를 써넣으세요.

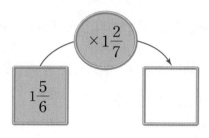

6 두 수의 곱을 빈칸에 써넣으세요.

$1\frac{7}{10}$	
8	

7 계산 결과가 다른 하나는 어느 것인가요?( )

① $\frac{5}{7}$의 3배   ② $\frac{5}{7} \times 3$ ③ $\frac{5 \times 3}{7}$

④ $\frac{5}{7 \times 3}$ ⑤ $\frac{5}{7} + \frac{5}{7} + \frac{5}{7}$

핵심체크

4. (진분수) × (진분수)는 분자는 분자끼리, 분모는 분모끼리 곱하여 계산합니다.
약분하는 방법에 따라 여러 가지 방법으로 계산할 수 있습니다.

예 $\frac{3}{4} \times \frac{8}{9} = \frac{3 \times 8}{4 \times 9} = \frac{24}{\underset{3}{36}} = \frac{2}{3}$, $\frac{3}{\underset{1}{4}} \times \frac{\overset{2}{8}}{\underset{3}{9}} = \frac{2}{3}$

2
분수의 곱셈

8 ○ 안에 >, =, <를 알맞게 써넣으세요.

$$18 \times \frac{2}{3} \bigcirc 15$$

9 빈칸에 알맞은 수를 써넣으세요.

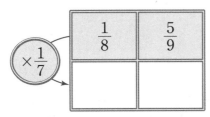

10 계산 결과가 같은 것끼리 이어 보세요.

$\dfrac{1}{7} \times \dfrac{5}{8}$ ·   · $\dfrac{5}{8} \times \dfrac{1}{7}$

$\dfrac{5}{8} \times 7$ ·   · $\dfrac{8}{1} \times \dfrac{5}{7}$

$8 \times \dfrac{5}{7}$ ·   · $\dfrac{5}{8} \times \dfrac{7}{1}$

11 윤아와 소영이가 분수의 곱셈을 한 것입니다. 바르게 계산한 사람은 누구인가요?

윤아	소영
$7 \times \dfrac{3}{10} = 1\dfrac{3}{10}$	$\dfrac{4}{9} \times 5 = 2\dfrac{2}{9}$

(   )

12 계산 결과가 6보다 큰 식에 ○표, 6보다 작은 식에 △표 하세요.

$$6 \times 1\frac{1}{2} \qquad 6 \times \frac{5}{9} \qquad 6 \times \frac{3}{4}$$

13 빈 곳에 알맞은 수를 써넣으세요.

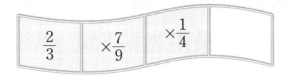

서술형

14 잘못 계산된 식을 찾아 기호를 쓰고, 그 이유를 설명해 보세요.

$$\begin{aligned} \bigcirc \ \frac{4}{5} \times 3 &= \frac{4 \times 3}{5 \times 3} = \frac{\overset{4}{\cancel{12}}}{\underset{5}{\cancel{15}}} = \frac{4}{5} \\[2mm] \bigcirc \ \frac{4}{5} \times 3 &= \frac{4 \times 3}{5} = \frac{12}{5} = 2\frac{2}{5} \end{aligned}$$

(   )

이유 _____

_____

핵심체크

12. 어떤 자연수에 진분수를 곱하면 계산 결과는 어떤 자연수보다 작습니다.
어떤 자연수에 대분수나 가분수를 곱하면 계산 결과는 어떤 자연수보다 큽니다.

예 $9 \times \dfrac{3}{4} < 9,$ $9 \times 1\dfrac{1}{4} > 9$

15 평행사변형의 넓이는 몇 cm²인가요?

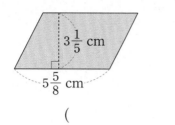

$3\dfrac{1}{5}$ cm

$5\dfrac{5}{8}$ cm

( )

16 한 명이 케이크 한 개의 $\dfrac{2}{5}$만큼씩 먹으려고 합니다. 30명이 먹으려면 케이크는 모두 몇 개 필요한가요?

식 _____

답 _____

17 청명이네 집에서 학교까지의 거리는 $\dfrac{7}{10}$ km입니다. 청명이는 집에서 학교까지의 거리의 $\dfrac{5}{12}$만큼 자전거를 타고 갔습니다. 청명이가 자전거를 타고 간 거리는 몇 km인가요?

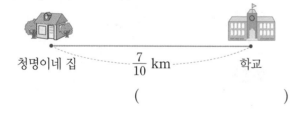

청명이네 집 $\dfrac{7}{10}$ km   학교

( )

18 ㉠과 ㉡의 계산 결과의 합을 구해 보세요.

㉠ $2\dfrac{2}{3} \times 12$ ㉡ $10 \times 1\dfrac{1}{8}$

( )

추론
19 옳은 문장을 찾아 기호를 써 보세요.

㉠ 1시간의 $\dfrac{1}{2}$은 20분입니다.

㉡ 1 L의 $\dfrac{1}{5}$은 200 mL입니다.

㉢ 1 m의 $\dfrac{1}{4}$은 40 cm입니다.

( )

20 3장의 수 카드를 한 번씩 사용하여 만들 수 있는 가장 큰 대분수와 지훈이가 말하는 수의 곱을 구해 보세요.

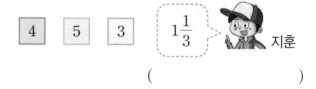

4   5   3 $1\dfrac{1}{3}$ 지훈

( )

핵심체크

19. 1시간=60분, 1 L=1000 mL, 1 m=100 cm이고 ■의 $\dfrac{1}{\blacktriangle}$은 ■×$\dfrac{1}{\blacktriangle}$입니다.

예 1 L의 $\dfrac{1}{2}$은 1000 mL의 $\dfrac{1}{2}$이므로 $1000 \times \dfrac{1}{2} = 500$ (mL)입니다.

3 합동과 대칭

스토리텔링으로 생각열기

일단, 궁전 안에 녀석들의 아지트가 있는 건 알겠는데……

그렇다면 궁전 안에 우릴 노리는 범인이 있는 거야?

그런 것 같아. 그런데 누구의 것인지 안 써 있단 말이야.

뭔가 표시가 있을 것 같은데 찾기도 어렵고……

에이~ 무슨 걱정이야. 범인이 우릴 찾아오게 하면 되잖아~.

범인이 우릴 찾아온다고?

그래! 우리에게 암호가 적힌 종이가 있다는 걸 궁전 내에 알리면

범인이 표시를 알아낼 것이 두려워서 이걸 빼앗으려고 올 것 아냐.

음, 잠깐!

따악

두 종이는 합동이야. 범인은 합동을 알고 있는 사람이야!

합동이 뭐지? 혹시…… 합동 훈련??

개념 원리

❶ 서로 합동인 도형 찾아보기

1. 도형 가와 완전히 겹치는 도형 찾아보기

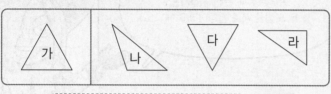

> 도형 가와 포개었을 때
> 남거나 모자라는 부분이 없는 도형을 찾아.

➡ 도형 가와 완전히 겹치는 도형:

2. 합동 알아보기

> 우린 합동!
> 모양과 크기가 같아.

> 우리도 합동
> 이라고!

모양과 크기가 같아서 포개었을 때 완전히 겹치는
두 도형을 서로 합동이라고 합니다.

❷ 서로 합동인 도형 만들기

1. 종이를 잘라서 서로 합동인 도형 2개 만들기

> 직사각형 모양의 색종이를 잘라서
> 서로 합동인 사각형을 2개 만들 수 있어.

예

2. 종이를 잘라서 서로 합동인 도형 4개 만들기

> 직사각형 모양의 색종이를 잘라서
> 서로 합동인 삼각형을 4개 만들 수 있어.

예

개념 체크

1 왼쪽 도형과 포개었을 때 완전히 겹치는 도형을 찾아 ○표 하세요.

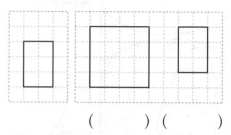

(   ) (   )

2 그림을 보고 □ 안에 알맞은 말을 써넣으세요.

그림과 같이 모양과 크기가 같아서 포개었을 때 완전히 겹치는 두 도형을 서로 [   ](이)라고 합니다.

3 서로 합동인 두 도형을 찾아 기호를 써 보세요.

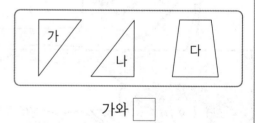

가와 □

4 직사각형 모양의 색종이를 점선을 따라 자를 때 서로 합동인 삼각형이 2개 만들어지는 것에 ○표 하세요.

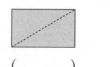

(   )   (   )

정답 ❶ 다   ❷ 예

정답 및 풀이 12쪽

[1~2] 모양과 크기가 같아서 포개었을 때 완전히 겹치는 두 도형을 찾아 기호를 써 보세요.

1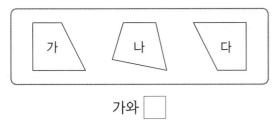

가와 ☐

2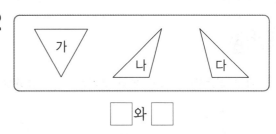

☐ 와 ☐

[3~6] 왼쪽 도형과 서로 합동인 도형을 찾아 ○표 하세요.

3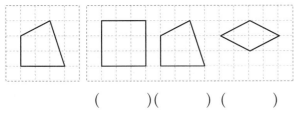

( )( ) ( )

4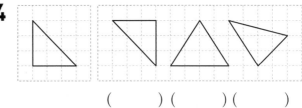

( )( )( )

5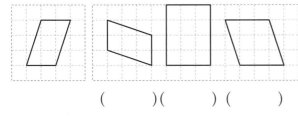

( )( ) ( )

6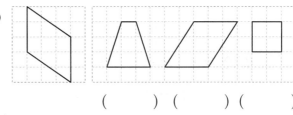

( ) ( ) ( )

[7~8] 직사각형 모양의 색종이를 점선을 따라 잘라서 서로 합동인 도형을 만들려고 합니다. 서로 합동인 도형을 주어진 수만큼 만들 수 있는 것에 ○표 하세요.

잘라서 만들어지는 도형들의 모양과 크기가 모두 같아야 해!

7

( ) ( ) ( )

8

( ) ( ) ( )

3

합동과 대칭

61

개념 원리

❶ 서로 합동인 두 도형에서 겹치는 부분 찾아보기

아래의 두 삼각형은 모양과 크기가 같으니까 서로 합동이야.

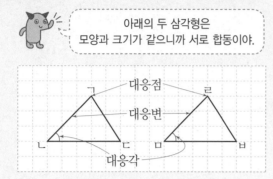

서로 합동인 두 도형을 포개었을 때 완전히

겹치는 점 ➡ 대응점	겹치는 변 ➡ 대응변
점 ㄱ과 점 ㄹ	변 ㄱㄴ과 변 ㄹㅁ
점 ㄴ과 점 ❶	변 ㄴㄷ과 변 ❷
점 ㄷ과 점 ㅂ	변 ㄱㄷ과 변 ㄹㅂ

겹치는 각 ➡ 대응각

각 ㄱㄴㄷ과 각 ㄹㅁㅂ
각 ㄱㄷㄴ과 각 ㄹㅂㅁ
각 ㄴㄱㄷ과 각 ❸

❷ 합동인 두 도형의 성질 알아보기

서로 합동인 두 사각형에서 대응변의 길이와 대응각의 크기를 비교해 봐.

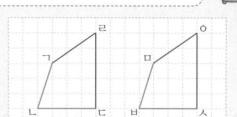

(1) 각각의 대응변의 길이가 서로 같습니다.

(변 ㄱㄴ)=(변 ㅁㅂ), (변 ㄴㄷ)=(변 ㅂㅅ),
(변 ㄹㄷ)=(변 ㅇㅅ), (변 ㄱㄹ)=(변 ㅁㅇ)

(2) 각각의 대응각의 크기가 서로 같습니다.

(각 ㄱㄴㄷ)=(각 ㅁㅂㅅ), (각 ㄴㄷㄹ)=(각 ㅂㅅㅇ),
(각 ㄱㄹㄷ)=(각 ㅁㅇㅅ), (각 ㄹㄱㄴ)=(각 ㅇㅁㅂ)

개념 체크

1 두 도형은 서로 합동입니다. □ 안에 알맞은 말을 써넣으세요.

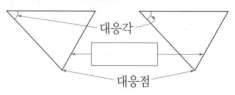

2 두 사각형은 서로 합동입니다. □ 안에 알맞게 써넣으세요.

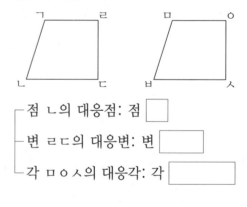

점 ㄴ의 대응점: 점 □
변 ㄹㄷ의 대응변: 변 □
각 ㅁㅇㅅ의 대응각: 각 □

3 두 삼각형은 서로 합동입니다. 알맞은 것에 ○표 하세요.

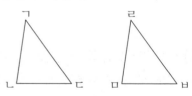

(1) 변 ㄴㄷ의 대응변은
변 (ㄹㅁ , ㅁㅂ , ㄹㅂ)입니다.

(2) 서로 합동인 두 도형에서 각각의 대응변의 길이는 서로
(같습니다 , 다릅니다).

정답 ❶ㅁ ❷ㅁㅂ ❸ㅁㄹㅂ

1 두 삼각형은 서로 합동입니다. 물음에 답하세요.

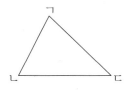 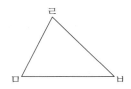

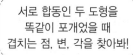 서로 합동인 두 도형을 똑같이 포개었을 때 겹치는 점, 변, 각을 찾아봐!

(1) 대응점을 각각 써 보세요.

점 ㄱ의 대응점: 점 ☐ , 점 ㄴ의 대응점: 점 ☐ , 점 ㄷ의 대응점: 점 ☐

(2) 대응변을 각각 써 보세요.

변 ㄱㄴ의 대응변: 변 ☐ , 변 ㄴㄷ의 대응변: 변 ☐ , 변 ㄱㄷ의 대응변: 변 ☐

(3) 대응각을 각각 써 보세요.

각 ㄱㄴㄷ의 대응각: 각 ☐ , 각 ㄱㄷㄴ의 대응각: 각 ☐ ,

각 ㄴㄱㄷ의 대응각: 각 ☐

[2~3] 두 도형은 서로 합동입니다. 대응점, 대응변, 대응각이 각각 몇 쌍 있는지 써 보세요.

2

대응점	대응변	대응각
☐ 쌍	☐ 쌍	3쌍

3

대응점	대응변	대응각
4쌍	☐ 쌍	☐ 쌍

[4~7] 서로 합동인 두 도형을 보고 ☐ 안에 알맞은 수를 써넣으세요.

4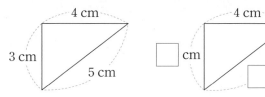

5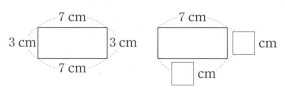

6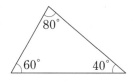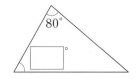

7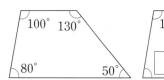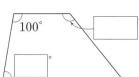

1 개념 빠삭   도형의 합동 알아보기

- 모양과 크기가 같아서 포개었을 때 완전히 겹치는 두 도형을 서로 ☐(이)라고 합니다.

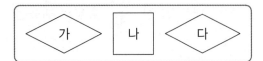

➡ 도형 가와 서로 합동인 도형: ☐

2 우진이가 종이 두 장을 포개어 놓고 도형을 오렸더니 두 도형의 모양과 크기가 똑같았습니다. 이러한 두 도형의 관계를 무엇이라고 하는지 써 보세요.

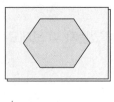

우진

(   )

[3~4] 도형을 보고 물음에 답하세요.

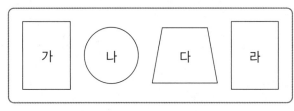

3 서로 합동인 두 도형을 찾아 기호를 써 보세요.

☐ 와 ☐

4 도형 다와 서로 합동인 도형을 찾아 ○표 하세요.

(   )   (   )   (   )

5 오른쪽 도형과 서로 합동인 도형을 찾아 색칠해 보세요.

6 나머지 셋과 서로 합동이 아닌 도형을 찾아 기호를 써 보세요.

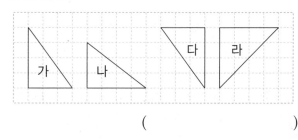

(   )

7 정사각형 모양의 색종이를 잘라서 서로 합동인 도형 2개가 되도록 선을 두 가지 방법으로 그어 보세요.

8 주어진 도형과 서로 합동인 도형을 그려 보세요.

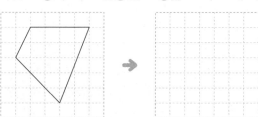

3

합동과 대칭

9 개념 빠삭 ── 합동인 도형의 성질

- 대응점, 대응변, 대응각 알아보기

서로 합동인 두 도형을 포개었을 때 완전히 겹치는 점을 대응점, 겹치는 □을/를 대응변, 겹치는 각을 □□□(이)라고 합니다.

- 합동인 도형의 성질 알아보기
  ① 각각의 대응변의 길이가 서로 같습니다.
  ② 각각의 대응각의 크기가 서로 같습니다.

10 두 삼각형은 서로 합동입니다. 물음에 답하세요.

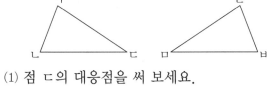

(1) 점 ㄷ의 대응점을 써 보세요.
( )

(2) 변 ㄱㄴ의 대응변을 써 보세요.
( )

(3) 각 ㄴㄱㄷ의 대응각을 써 보세요.
( )

11 두 도형은 서로 합동입니다. 대응점, 대응변, 대응각이 각각 **몇 쌍** 있는지 써 보세요.

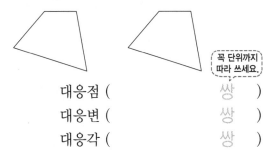

> 꼭 단위까지 따라 쓰세요.

대응점 (쌍)
대응변 (쌍)
대응각 (쌍)

12 두 사각형은 서로 합동입니다. 각 ㅁㅇㅅ과 크기가 같은 각을 써 보세요.

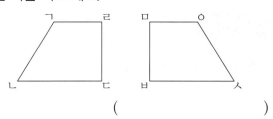

( )

13 두 삼각형은 서로 합동입니다. **잘못** 말한 사람은 누구인가요?

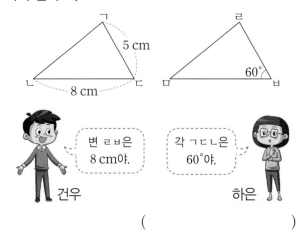

변 ㄹㅂ은 8 cm야. ──건우

각 ㄱㄷㄴ은 60°야. ──하은

( )

문제 해결

14 두 사각형은 서로 합동입니다. 물음에 답하세요.

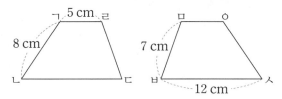

(1) 변 ㄴㄷ과 변 ㄹㄷ은 각각 **몇 cm**인가요?
변 ㄴㄷ (cm)
변 ㄹㄷ (cm)

(2) 사각형 ㄱㄴㄷㄹ의 둘레는 몇 cm인가요?
(cm)

3

합동과 대칭

65

개념 원리

❶ 선대칭도형 알아보기

> 한 직선을 따라 접어서 완전히 겹치는 도형을 선대칭도형이라고 합니다.
> 이때 그 직선을 대칭축이라고 합니다.

대칭축을 따라 포개었을 때 겹치는 점을 대응점, 겹치는 변을 대응변, 겹치는 각을 대응각이라고 합니다.

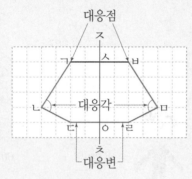

❷ 선대칭도형의 성질 알아보기

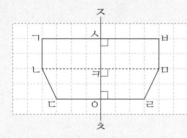

> 대칭축을 기준으로 왼쪽과 오른쪽 도형은 서로 합동이네!

(1) 각각의 대응변의 길이가 서로 같습니다.

예 (변 ㄱㄴ)＝(변 ㅂㅁ), (변 ㄴㄷ)＝(변 **❶** ⬚)

(2) 각각의 대응각의 크기가 서로 같습니다.

예 (각 ㄴㄱㅅ)＝(각 ㅁㅂㅅ), (각 ㄴㄷㅇ)＝(각 ㅁㄹㅇ)

(3) 대칭축은 대응점끼리 이은 선분을 둘로 똑같이 나눕니다.
  ↳ 각각의 대응점에서 대칭축까지의 거리가 서로 같습니다.

예 (선분 ㄱㅅ)＝(선분 ㅂㅅ), (선분 ㄴㅋ)＝(선분 **❷** ⬚)

(4) 대응점끼리 이은 선분은 대칭축과 수직으로 만납니다.

예 선분 ㄴㅁ이 대칭축과 만나서 이루는 각은 90°입니다.

개념 체크

1 그림과 같이 한 직선을 따라 접어서 완전히 겹치는 도형을 무엇이라고 하나요?

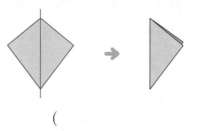

(   )

2 선대칭도형에 대칭축을 바르게 그린 것을 찾아 번호를 써 보세요.

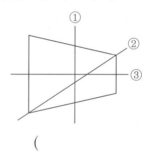

(   )

3 선대칭도형을 보고 물음에 답하세요.

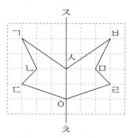

(1) 대응변을 각각 써 보세요.

　변 ㄱㄴ의 대응변: 변 ⬚

　변 ㄷㅇ의 대응변: 변 ⬚

(2) 알맞은 말에 ○표 하세요.
   선대칭도형에서 각각의 대응변의 길이는 서로 (같습니다 , 다릅니다).

[1~2] 선대칭도형을 찾아 ○표 하세요.

1

(　　　)　(　　　)　(　　　)

2
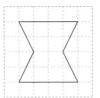

(　　　)　(　　　)　(　　　)

[3~5] 다음 도형은 선대칭도형입니다. 대칭축을 모두 그려 보세요.

3

4

5

선대칭도형에서 대칭축은 한 개인 경우도 있고 여러 개인 경우도 있어.

[6~7] 선대칭도형을 보고 □ 안에 알맞게 써넣으세요.

6
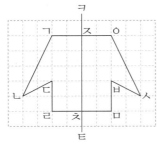

- 점 ㄷ의 대응점은 점 □ 입니다.
- 변 ㄱㄴ의 대응변은 변 □ 입니다.
- 각 ㄷㄹㅊ의 대응각은 각 □ 입니다.

7
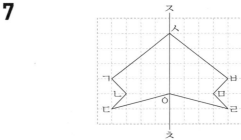

- 점 ㄱ의 대응점은 점 □ 입니다.
- 변 ㄷㅇ의 대응변은 변 □ 입니다.
- 각 ㅅㄱㄴ의 대응각은 각 □ 입니다.

[8~9] 선대칭도형에 대한 설명이 맞으면 ○표, 틀리면 ×표 하세요.

8
각각의 대응각의 크기가 서로 같습니다.

(　　　　　　)

9
대응점끼리 이은 선분이 대칭축과 만나서 이루는 각은 180°입니다.

(　　　　　　)

개념 원리

✽ 선대칭도형 그리기

• 선대칭도형이 되도록 그리는 방법 알아보기

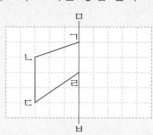

선대칭도형을 그릴 때에는 대응점끼리 이은 선분이 대칭축과 ❶ ☐ 으로 만난다는 성질을 이용해.

또 각각의 대응점에서 대칭축까지의 거리가 서로 같다는 성질도 이용해.

①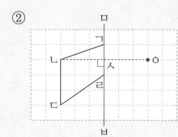

점 ㄴ에서 대칭축 ㅁㅂ에 수선을 긋고, 대칭축과 만나는 점을 찾아 점 ㅅ으로 표시합니다.

②

이 수선에 선분 ㄴㅅ과 길이가 같은 선분 ㅇㅅ이 되도록 점 ㄴ의 대응점을 찾아 점 ❷ ☐ 으로 표시합니다.

③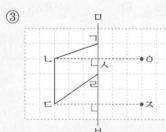

위와 같은 방법으로 점 ㄷ의 대응점을 찾아 점 ㅈ으로 표시합니다.

④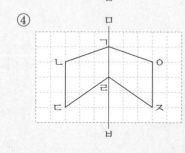

점 ㄹ과 점 ㅈ, 점 ㅈ과 점 ㅇ, 점 ㅇ과 점 ❸ ☐ 을 모두 이어 선대칭도형이 되도록 그립니다.

개념 체크

1 선대칭도형을 바르게 그린 것에 ○표 하세요.

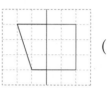

(   )

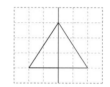

(   )

2 선대칭도형이 되도록 그림을 완성하려고 합니다. 나머지 한 점을 어디로 해야 하나요?

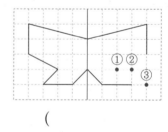

(   )

3 선대칭도형이 되도록 그림을 완성하려고 합니다. 물음에 답하세요.

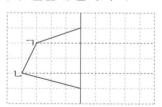

(1) 점 ㄱ과 점 ㄴ의 대응점을 각각 찾아 점(•)으로 표시해 보세요.

(2) 선대칭도형이 되도록 그림을 완성해 보세요.

[1~2] 각각의 대응점을 찾아 점(•)으로 표시하고 선대칭도형이 되도록 그림을 완성해 보세요.

1

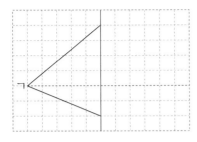

2

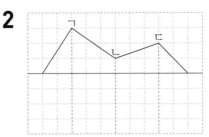

[3~8] 선대칭도형이 되도록 그림을 완성해 보세요.

3

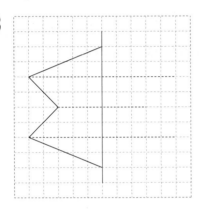

4

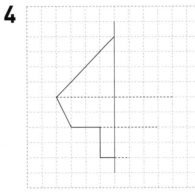

선대칭도형은 각각의 대응점에서 대칭축까지의 거리가 서로 같아.

5

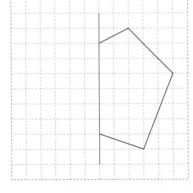

6

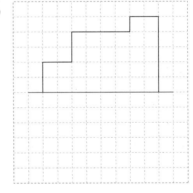

7

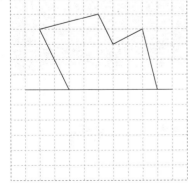

8

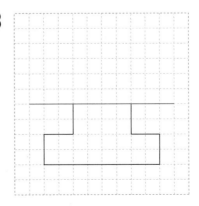

3

합동과 대칭

1 **개념 빠삭** 선대칭도형과 그 성질 (1)

- 선대칭도형 알아보기
  한 직선을 따라 접어서 완전
  히 겹치는 도형을
  ←대칭축

  [   ](이)라고

  합니다. 이때 그 직선을 대칭축이라고 합니다.

- 선대칭도형의 성질 알아보기
  (1) 각각의 대응변의 길이가 서로 같습니다.
  (2) 각각의 대응각의 크기가 서로 같습니다.
  (3) 대칭축은 대응점끼리 이은 선분을 둘로
     똑같이 나눕니다.
  (4) 대응점끼리 이은 선분은 대칭축과

     [   ](으)로 만납니다.

2 선대칭도형을 찾아 기호를 써 보세요.

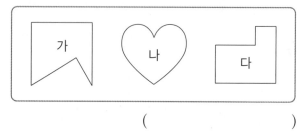

(   )

3 오른쪽 선대칭도형을 보고
물음에 답하세요.

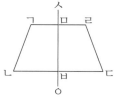

(1) 점 ㄱ의 대응점을 써 보세요.
(   )

(2) 변 ㄱㄴ의 대응변을 써 보세요.
(   )

(3) 각 ㄱㄴㅂ의 대응각을 써 보세요.
(   )

4 선대칭도형의 대칭축을 모두 그리고 몇 개인지 써
보세요.

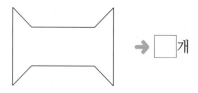
→ [   ]개

[5~6] 직선 ㄱㄴ을 대칭축으로 하는 선대칭도형입니
다. □ 안에 알맞은 수를 써넣으세요.

5

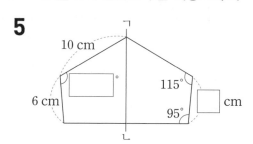

6

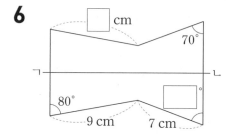

7 자신이 그린 선대칭도형에 대해 바르게 설명한 사
람은 누구인가요?

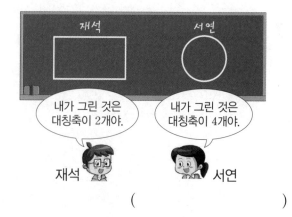

(   )

8 선대칭도형인 글자는 모두 **몇** 개인가요?

꼭 단위까지
따라 쓰세요.

(개)

9 직선 ㅅㅇ을 대칭축으로 하는 선대칭도형입니다.
선분 ㅂㄷ은 **몇** cm인가요?

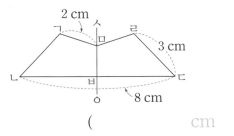

(cm)

10 개념 빠삭 선대칭도형과 그 성질 (2)

- 선대칭도형 그리기
  ① 각 점의 [   ]을/를 찾아 표시합
  니다.
  ② 대응점을 이어 선대칭도형이 되도록 그
  립니다.

11 선대칭도형을 바르게 그린 것에 ○표 하세요.

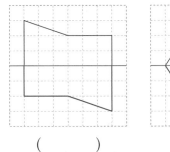   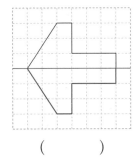

( )   ( )

12 선대칭도형이 되도록 그림을 완성해 보세요.

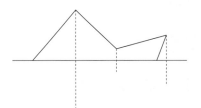

[13~14] 선대칭도형이 되도록 그림을 완성해 보세요.

13

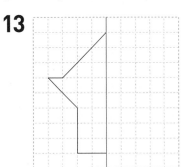

14

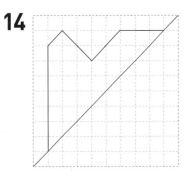

15 선대칭도형을 1개 그려 보세요.

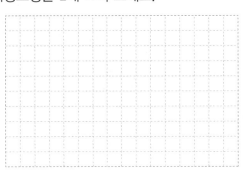

한 직선을 따라 접었을 때
완전히 겹치는 도형을 그려!

합동과 대칭

71

개념 원리

❶ 점대칭도형 알아보기

한 도형을 어떤 점을 중심으로 180° 돌렸을 때 처음 도형과 완전히 겹치면 이 도형을 점대칭도형이라고 합니다. 이때 그 점을 대칭의 중심이라고 합니다.

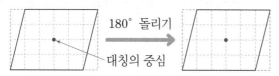

대칭의 중심을 중심으로 180° 돌렸을 때 겹치는 점을 대응점, 겹치는 변을 대응변, 겹치는 각을 대응각이라고 합니다.

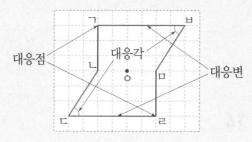

❷ 점대칭도형의 성질 알아보기

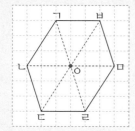

대응점끼리 각각 이은 선분이 만나는 점이 대칭의 중심이야.

(1) 각각의 대응변의 길이가 서로 같습니다.

    예 (변 ㄱㄴ)=(변 **❶**[   ]), (변 ㄴㄷ)=(변 ㅁㅂ)

(2) 각각의 대응각의 크기가 서로 같습니다.

    예 (각 ㄱㄴㄷ)=(각 ㄹㅁㅂ), (각 ㄴㄷㄹ)=(각 ㅁㅂㄱ)

(3) 대칭의 중심은 대응점끼리 이은 선분을 둘로 똑같이 나눕니다.•— 각각의 대응점에서 대칭의 중심까지의 거리가 서로 같습니다.

    예 (선분 ㄱㅇ)=(선분 **❷**[   ]), (선분 ㄴㅇ)=(선분 ㅁㅇ)

개념 체크

1 도형은 점 ㅇ을 중심으로 180° 돌렸을 때 처음 도형과 완전히 겹칩니다. 이와 같은 도형을 무엇이라고 하나요?

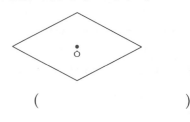

(   )

2 점대칭도형을 찾아 ○표 하세요.

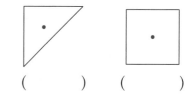

(   )   (   )

3 점대칭도형을 보고 물음에 답하세요.

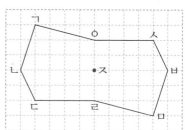

(1) 대응각을 각각 써 보세요.

    ┌ 각 ㅇㄱㄴ의 대응각: 각 [   ]

    ├ 각 ㄱㄴㄷ의 대응각: 각 [   ]

    └ 각 ㄴㄷㄹ의 대응각: 각 [   ]

(2) 알맞은 말에 ○표 하세요.
    점대칭도형에서 각각의 대응각의 크기는 서로 (같습니다 , 다릅니다).

[1~2] 점대칭도형을 찾아 ○표 하세요.

1

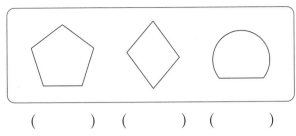

(   ) (   ) (   )

2

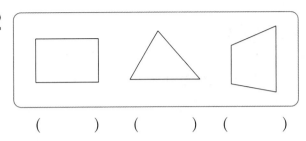

(   ) (   ) (   )

[3~5] 점대칭도형에서 대칭의 중심을 찾아 번호를 써 보세요.

3

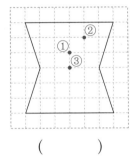

(   )

4

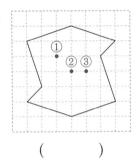

(   )

5

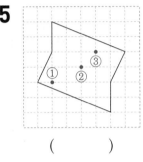

(   )

점대칭도형에서 대칭의 중심은 항상 1개야.

[6~7] 점대칭도형을 보고 □ 안에 알맞게 써넣으세요.

6

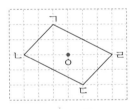

┌ 점 ㄱ의 대응점은 점 □ 입니다.

├ 변 ㄴㄷ의 대응변은 변 □ 입니다.

└ 각 ㄴㄷㄹ의 대응각은 각 □ 입니다.

7

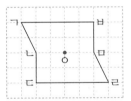

┌ 점 ㄷ의 대응점은 점 □ 입니다.

├ 변 ㄴㄷ의 대응변은 변 □ 입니다.

└ 각 ㄷㄹㅁ의 대응각은 각 □ 입니다.

[8~9] 점대칭도형에 대한 설명이 맞으면 ○표, 틀리면 ×표 하세요.

8

대칭의 중심은 대응점끼리 이은 선분을 셋으로 똑같이 나눕니다.

(   )

9

각각의 대응변의 길이가 서로 같습니다.

(   )

개념 원리

✳ 점대칭도형 그리기

• 점대칭도형이 되도록 그리는 방법 알아보기

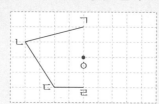

점대칭도형을 그릴 때에는 각각의 대응점에서 대칭의 **❶**〔   〕까지의 거리가 서로 같다는 것을 이용해.

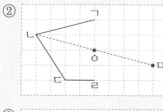

점 ㄴ에서 대칭의 중심인 점 **❷**〔   〕을 지나는 직선을 긋습니다.

이 직선에 선분 ㄴㅇ과 길이가 같은 선분 ㅁㅇ이 되도록 점 ㄴ의 대응점을 찾아 점 ㅁ으로 표시합니다.

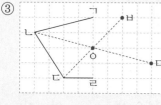

위와 같은 방법으로 점 ㄷ의 대응점을 찾아 점 ㅂ으로 표시합니다. 점 ㄱ의 대응점은 점 ㄹ입니다.

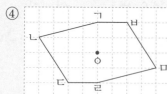

점 ㄹ과 점 **❸**〔   〕, 점 ㅁ과 점 ㅂ, 점 ㅂ과 점 ㄱ을 모두 이어 점대칭도형이 되도록 그립니다.

완성한 도형이 점대칭도형인지 확인하려면 어떻게 해야 할까?

① 각각의 대응점에서 대칭의 중심까지의 거리가 서로 같은지 확인해 봅니다.

② 투명 종이에 본을 떠서 180° 돌렸을 때 완전히 겹치는지 확인해 봅니다.

개념 체크

1 점대칭도형이 되도록 그림을 완성하려고 합니다. 나머지 한 점을 어디로 해야 하나요?

(1)

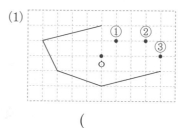

(   )

(2)

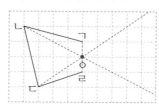

(   )

2 점대칭도형이 되도록 그림을 완성하려고 합니다. 물음에 답하세요.

(1) 점 ㄱ의 대응점을 써 보세요.

(   )

(2) 점 ㄴ과 점 ㄷ의 대응점을 각각 찾아 점(•)으로 표시해 보세요.

(3) 점대칭도형이 되도록 그림을 완성해 보세요.

👉 정답   ❶ 중심   ❷ ㅇ   ❸ ㅁ

[1~2] 점대칭도형을 바르게 그린 것에 ◯표 하세요.

1

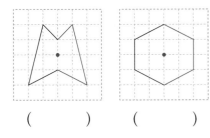

(   )   (   )

2

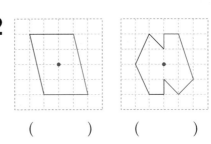

(   )   (   )

[3~8] 점 ○을 대칭의 중심으로 하는 점대칭도형이 되도록 그림을 완성해 보세요.

3

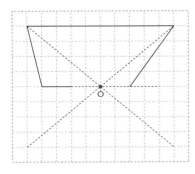

4

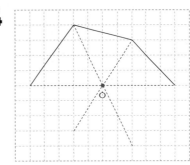

점대칭도형은
각각의 대응점에서
대칭의 중심까지의
거리가 서로 같아.

5

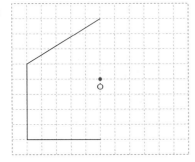

6

7

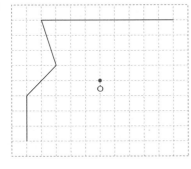

8

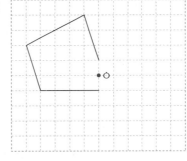

1 개념 빠삭 · 점대칭도형과 그 성질 (1)

- 점대칭도형 알아보기

  한 도형을 어떤 점을 중심으로 180° 돌렸을 때 처음 도형과 완전히 겹치면 이 도형을 [   ](이)라고 합니다.

  대칭의 중심

  이때 그 점을 [   ](이)라고 합니다.

- 점대칭도형의 성질 알아보기

  (1) 각각의 대응변의 길이가 서로 같습니다.

  (2) 각각의 대응각의 크기가 서로 같습니다.

  (3) 대칭의 중심은 대응점끼리 이은 선분을 둘로 똑같이 나눕니다.

2 점대칭도형을 찾아 기호를 써 보세요.

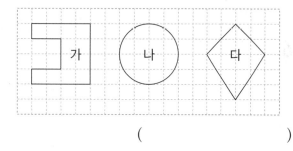

(   )

[**3~4**] 다음 도형은 점대칭도형입니다. 대칭의 중심을 찾아 표시해 보세요.

3

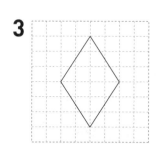

4

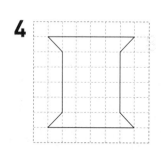

대응점끼리 이은 선분이 만나는 점을 찾아봐.

5 점 ㅇ을 대칭의 중심으로 하는 점대칭도형입니다. 대응점, 대응변, 대응각을 각각 써 보세요.

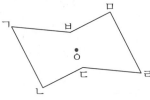

점 ㄴ의 대응점 (   )

변 ㄱㄴ의 대응변 (   )

각 ㅂㄱㄴ의 대응각 (   )

6 점 ㅇ을 대칭의 중심으로 하는 점대칭도형입니다. 물음에 답하세요.

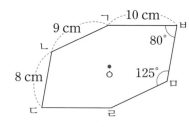

(1) 변 ㄹㅁ은 몇 cm인가요?

꼭 단위까지 따라 쓰세요.

(cm   )

(2) 각 ㄴㄷㄹ은 몇 도인가요?

(   )

7 오른쪽은 점대칭도형입니다. 길이가 같은 선분을 찾아 이어 보세요.

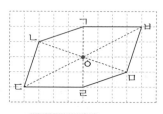

선분 ㄴㅇ   선분 ㄹㅇ

·   ·

·

선분 ㄱㅇ   선분 ㄷㅇ   선분 ㅁㅇ

8 점대칭도형에 대해 <u>잘못</u> 말한 사람은 누구인지 이름을 써 보세요.

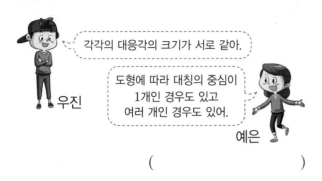

각각의 대응각의 크기가 서로 같아.

우진

도형에 따라 대칭의 중심이 1개인 경우도 있고 여러 개인 경우도 있어.

예은

( )

9 점대칭도형이 <u>아닌</u> 그림을 모두 찾아 기호를 써 보세요.

( )

10 점 ㅇ을 대칭의 중심으로 하는 점대칭도형입니다. 물음에 답하세요.

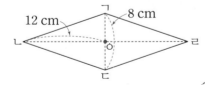

(1) 선분 ㄴㄹ은 몇 cm인가요?

꼭 단위까지 따라 쓰세요.

(cm)

(2) 선분 ㄱㅇ은 몇 cm인가요?

(cm)

11 개념 빠삭 점대칭도형과 그 성질 (2)

• 점대칭도형 그리기

① 각 점의 ☐☐☐ 을/를 찾아 표시합니다.

② 대응점을 이어 점대칭도형이 되도록 그립니다.

12 점 ㄴ과 점 ㄷ의 대응점을 각각 찾아 점 ㅁ과 점 ㅂ으로 표시하고 점대칭도형이 되도록 그림을 완성해 보세요.

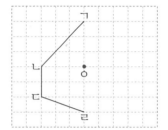

[13~14] 점 ㅇ을 대칭의 중심으로 하는 점대칭도형이 되도록 그림을 완성해 보세요.

13

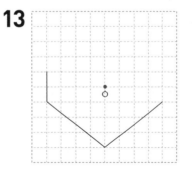

14

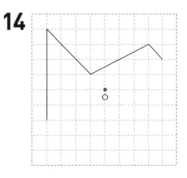

평가 **3단원** 빠삭

1 왼쪽 도형과 서로 합동인 도형에 ○표 하세요.

(   ) (   )

2 도형 안의 점을 중심으로 180° 돌렸을 때 처음 도형과 완전히 겹치는 도형을 찾아 ○표 하세요.

(   ) (   ) (   )

3 선대칭도형은 어느 것인가요? ·············· (   )

①   ②

③    ④

⑤

4 다음 도형은 선대칭도형입니다. 대칭축을 찾아 기호를 써 보세요.

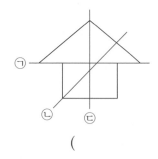

(   )

5 다음 도형은 점대칭도형입니다. 대응변을 각각 쓰고, 대응변의 길이를 비교해 보세요.

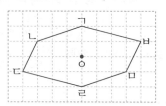

┌ 변 ㄱㄴ의 대응변: 변 [   ]

├ 변 ㄴㄷ의 대응변: 변 [   ]

└ 변 ㄷㄹ의 대응변: 변 [   ]

➡ 각각의 대응변의 길이가 서로 [   ].

6 두 도형은 서로 합동입니다. 대응점, 대응변, 대응각은 각각 몇 쌍 있는지 써 보세요.

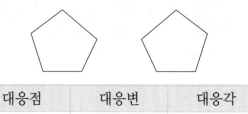

대응점	대응변	대응각

7 다음 도형은 점대칭도형입니다. 대칭의 중심을 찾아 표시해 보세요.

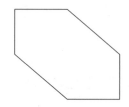

핵심체크

7. 점대칭도형에서 대응점끼리 이은 선분이 만나는 점이 대칭의 중심입니다. 예  ─ 대칭의 중심

[8~9] 두 삼각형은 서로 합동입니다. 물음에 답하세요.

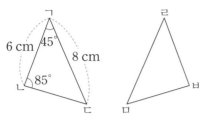

8 변 ㄹㅁ은 몇 cm인가요?

( )

9 각 ㅁㄹㅂ은 몇 도인가요?

( )

10 선대칭도형의 대응점끼리 모두 선분으로 이어 보세요. 대응점끼리 이은 선분들이 대칭축과 만나서 이루는 각은 각각 몇 도인가요?

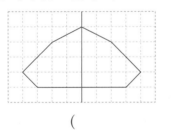

( )

11 점 ㅇ을 대칭의 중심으로 하는 점대칭도형입니다. □ 안에 알맞은 수를 써넣으세요.

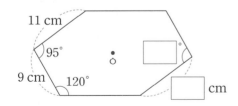

12 두 선대칭도형에서 대칭축이 더 많은 도형을 찾아 기호를 써 보세요.

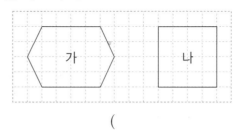

( )

추론

13 선대칭을 이용하여 더하기 모양을 만들려고 합니다. 선대칭도형을 완성해 보세요.

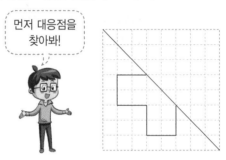

먼저 대응점을 찾아봐!

14 서로 합동인 두 도형에 대한 설명으로 잘못된 것을 모두 고르세요. ·····················( )

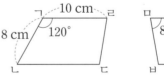 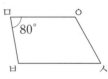

① 점 ㄴ의 대응점은 점 ㅅ입니다.
② 변 ㄹㄷ의 대응변은 변 ㅇㅅ입니다.
③ 변 ㅁㅇ은 10 cm입니다.
④ 각 ㄱㄹㄷ은 80°입니다.
⑤ 변 ㅂㅅ은 8 cm입니다.

핵심 체크

13. 각 점의 대응점을 찾아 표시한 후 대응점을 이어 선대칭도형을 완성합니다. 예

15 지민이의 질문에 답해 보세요.

선대칭도형은 도형의 모양에 따라 대칭축이 1개일 수도 있고 여러 개일 수도 있어.

그렇구나. 그럼 점대칭도형은 대칭의 중심이 몇 개야?

 준서

 지민

( )

16 점 ㅇ을 대칭의 중심으로 하는 점대칭도형이 되도록 그림을 완성해 보세요.

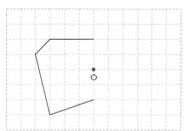

17 선분 ㄱㄹ을 대칭축으로 하는 선대칭도형입니다. 변 ㄴㄷ은 몇 cm인가요?

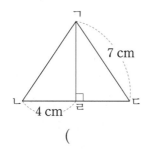

( )

18 선대칭도형도 되고 점대칭도형도 되는 도형은 모두 몇 개인가요?

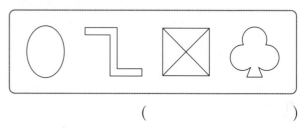

( )

19 두 삼각형은 서로 합동입니다. 각 ㄹㅂㅁ은 몇 도인가요?

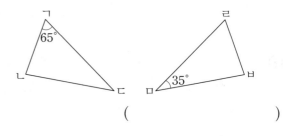

( )

문제 해결

20 점 ㅇ을 대칭의 중심으로 하는 점대칭도형의 둘레가 34 cm입니다. 변 ㄴㄷ은 몇 cm인가요?

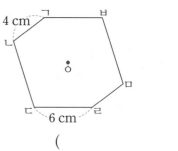

( )

핵심체크

20. 점대칭도형에서 둘레가 주어진 경우 각각의 대응변의 길이가 서로 같다는 것을 이용하여 한 변의 길이를 구할 수 있습니다.

㉎ 둘레가 14 cm인 점대칭도형에서 변 ㄴㄷ의 길이 구하기

(변 ㄱㄴ)＋(변 ㄴㄷ)＝14÷2＝7 (cm)
➡ (변 ㄴㄷ)＝7－4＝3 (cm)

소수의 곱셈

달타냥!
범인을 잡기 위해서는
너의 임무가 막중하다.

일단 내가
이 탑에 자객들의
지도를 가져다
놓았다고

궁전 내에 모든
사람들이 알도록
소문을 냈어.

그리고 우리
삼총사 세 명은
다른 곳에 있을 거야.
그래야 범인이
안심하고 탑에
들어올 테니까.

아니 그건 안돼!
궁전에는 너보다 강한
사람들이 많아서
위험할 수 있어!

아하!
그럼 내가 여기에
있다가 범인을
잡으면 되겠네.

피이~
날 못 믿는군.

못 믿는게 아니라
널 좋아하니까!
위험에 빠뜨리고
싶지 않은 거다!
이 애송아!

머엉

그래
좋아!
내가 뭘
어떻게
하면 되지?

이건 향기가
나는 가루야.
근데 사람 몸에
묻지 않으면 1시간
안에 날아가
버리지!

너는 우리가
4시간 후에 돌아올
때까지 1시간마다
탑 안에 이 가루를
4.6 g씩 뿌려!
향기가 사라지지
않게.

알았어.
범인이 탑에 들어와서
지도를 가져간다면 범인의
몸에 가루가 묻어서
향기가 나겠군.

그때
찾으면 끝!

19.2g

방금 삼총사들이 가루를 뿌렸으니까

1시간이 지난 후부터 4.6 g씩 뿌린다면 몇 g이 필요한 거지? 부족하진 않을까?

4번을 뿌려야 하니까…….

그러니까…….

4.6 g의 4배가 필요하네. 4.6×4의 계산이야. 0.1의 개수로 계산할 수 있어.

4.6은 0.1이 46개이고
4.6×4는 0.1이
46×4＝184(개)입니다.
→ 0.1이 184개이면 18.4이므로
4.6×4＝18.4입니다.

아! 18.4 g이 필요하니 부족하진 않네.

또 다른 방법으로도 계산할 수 있는 건 알고 있니?

하하~! 그러니까~.

모르는군.

잘 봐~ 이건 분수의 곱셈으로 계산하는 방법이야.

$$4.6 \times 4 = \frac{46}{10} \times 4$$
$$= \frac{46 \times 4}{10}$$
$$= \frac{184}{10} = 18.4$$

오호~

좋아! 이제 완벽히 해낼 수 있겠어.

이상하네. 왜 난 이해가 안 되지?

달타냥! 시간 잘 맞춰 제대로 뿌릴 수 있겠지?

당연하지.

믿어 보시라니까~!

문제 생성기 QR 코드를 찍어 보세요.
단원 대표 문제를 풀 수 있어요.

개념 빠삭

❶ (소수)×(자연수)를 알아볼까요 (1)

개념 원리

❶ (1보다 작은 소수)×(자연수)를 어림하여 알아보기

 이번 주에 마신 우유의 양을 어림하고 구하는 식 쓰기

나는 이번 주에 우유를 0.4 L씩 3번 마셨어.

그럼 네가 이번 주에 마신 우유는 모두 몇 L야?

(1) 수직선에 나타내어 어림하기

```
0        1        2 (L)
```

➡ 0.4씩 3번 가니까 1보다 조금 큽니다. → 1L보다 조금 많습니다.

(2) 이번 주에 마신 우유의 양을 구하는 식 쓰기

➡ 0.4 L씩 3번 마셨으므로 0.4×❶[ ] 입니다.

❷ (1보다 작은 소수)×(자연수)의 계산 방법

 0.4×3의 계산

(1) 덧셈식으로 계산하기

0.4×3은 0.4를 3번 더한 것과 같습니다.

0.4+0.4+0.4=1.2 ➡ 0.4×3=1.2

(2) 0.1의 개수로 계산하기

0.1	0.1		0.1	0.1		0.1	0.1
0.1	0.1		0.1	0.1		0.1	0.1

$0.4×3=0.1×4×3$
$\quad\quad\quad =0.1×12$

0.1이 모두 12개이므로 0.4×3=❷[ ] 입니다.

(3) 분수의 곱셈으로 계산하기

$0.4×3=\dfrac{4}{10}×3=\dfrac{4×3}{10}=\dfrac{12}{10}=$❸[ ]

소수를 분수로 나타내기　　　분수를 소수로 나타내기

개념 체크

[1~2] 0.3×3을 수직선을 이용하여 어림해 보세요.

1 0.3×3은 얼마쯤인지 수직선에 나타내어 보세요.

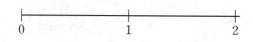
```
0        1        2
```

2 수직선을 이용하여 어림한 결과에 맞게 알맞은 말에 ○표 하세요.

> 0.3×3은 1보다 조금
> (작습니다 , 큽니다).

3 0.4×7을 0.1의 개수로 계산하려고 합니다. □ 안에 알맞은 수를 써넣으세요.

> 0.4는 0.1이 [ ]개입니다.
> 0.4×7=0.1×4×7
> 　　　　=0.1×[ ]
> 0.1이 모두 [ ]개이므로
> 0.4×7=[ ] 입니다.

4 0.2×8을 분수의 곱셈으로 계산하려고 합니다. □ 안에 알맞은 수를 써넣으세요.

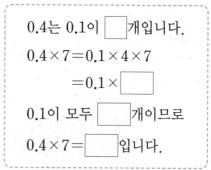

$0.2×8=\dfrac{\square}{10}×8=\dfrac{\square×8}{10}$

$=\dfrac{\square}{10}=\square$

[1~2] 덧셈식으로 고쳐서 계산해 보세요.

1　0.3×4

　➝ _____

2　0.7×3

　➝ _____

[3~4] 0.1의 개수로 계산하려고 합니다. ☐ 안에 알맞은 수를 써넣으세요.

3　0.5×7

0.5는 0.1이 ☐개입니다.

0.5×7은 0.1이 5개씩 ☐묶음입니다.

0.1이 모두 ☐개이므로 0.5×7=☐
입니다.

4　0.9×6

0.9는 0.1이 ☐개입니다.

0.9×6은 0.1이 ☐개씩 ☐묶음입니다.

0.1이 모두 ☐개이므로 0.9×6=☐
입니다.

소수 한 자리 수는 분모가 10인 분수로,
소수 두 자리 수는 분모가 100인 분수로
나타내어 계산해.

[5~8] 보기 와 같이 분수의 곱셈으로 계산해 보세요.

보기
$$0.3 \times 7 = \frac{3}{10} \times 7 = \frac{3 \times 7}{10} = \frac{21}{10} = 2.1$$

$$0.52 \times 3 = \frac{52}{100} \times 3 = \frac{52 \times 3}{100} = \frac{156}{100} = 1.56$$

5　0.2×9

6　0.81×4

7　0.4×6

8　0.72×3

[9~10] 계산해 보세요.

9　0.6×7

10　0.5×5

개념 원리

❶ **(1보다 큰 소수)×(자연수)를 어림하여 알아보기**

㉠ 색 테이프 2개의 길이를 어림하고 구하는 식 쓰기

 길이가 1.6 m인 색 테이프 2개를 가지고 있어.

그럼 네가 가지고 있는 색 테이프의 길이는 모두 몇 m야?

(1) 수직선에 나타내어 어림하기

```
0   1   2   3   4 (m)
```

➡ 1.6을 약 1.5로 생각하면 1.5씩 2번 가서 3 정도 이므로 3보다 조금 큽니다. → 3 m보다 조금 깁니다.

(2) 색 테이프 2개의 길이를 구하는 식 쓰기

➡ 1.6 m씩 2개이므로 1.6×2입니다.

❷ **(1보다 큰 소수)×(자연수)의 계산 방법**

㉠ 1.6×2의 계산

(1) 그림을 이용하여 계산하기

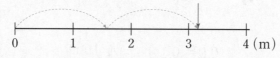

1이 2개, 0.1이 12개입니다.

0.1이 12개이면 **❶** 이므로 2+1.2=3.2입니다.

(2) 덧셈식으로 계산하기

1.6×2는 1.6을 **❷** 번 더한 것과 같습니다.

1.6+1.6=3.2 ➡ 1.6×2=3.2

(3) 0.1의 개수로 계산하기

1.6은 0.1이 16개이므로

1.6×2는 0.1이 16×2=32(개)입니다.

0.1이 32개이면 3.2이므로 1.6×2=3.2입니다.

(4) 분수의 곱셈으로 계산하기

$$1.6 \times 2 = \frac{16}{10} \times 2 = \frac{16 \times 2}{10} = \frac{❸}{10} = 3.2$$

개념 체크

[1~2] 1.2×3을 그림을 이용하여 계산해 보세요.

1 아래쪽 그림에 1.2×3에 알맞게 색칠해 보세요.

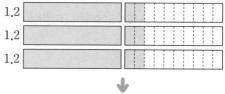

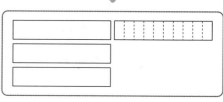

2 ☐ 안에 알맞은 수를 써넣으세요.

1.2×3= ☐

3 4.3×2를 0.1의 개수로 계산하려고 합니다. ☐ 안에 알맞은 수를 써넣으세요.

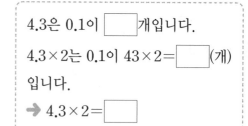

4.3은 0.1이 ☐ 개입니다.

4.3×2는 0.1이 43×2= ☐ (개) 입니다.

➡ 4.3×2= ☐

4 1.4×3을 분수의 곱셈으로 계산하려고 합니다. ☐ 안에 알맞은 수를 써넣으세요.

$$1.4 \times 3 = \frac{☐}{10} \times 3 = \frac{☐ \times 3}{10}$$

$$= \frac{☐}{10} = ☐$$

정답 ❶ 1.2 ❷ 2 ❸ 32

[1~2] 수직선을 보고 덧셈식과 곱셈식으로 나타내어 보세요.

1

덧셈식 $1.3+1.3=\boxed{}$

곱셈식 $1.3\times\boxed{}=\boxed{}$

2

덧셈식 $1.1+1.1+\boxed{}=\boxed{}$

곱셈식 $1.1\times\boxed{}=\boxed{}$

[3~4] 0.1의 개수로 계산하려고 합니다. ☐ 안에 알맞은 수를 써넣으세요.

3 3.2×3

3.2는 0.1이 ☐ 개입니다.

3.2×3은 0.1이 ☐ 개씩 ☐ 묶음입니다.

0.1이 모두 ☐ 개이므로

3.2×3=☐ 입니다.

4 4.6×4

4.6은 0.1이 ☐ 개입니다.

4.6×4는 0.1이 ☐ 개씩 ☐ 묶음입니다.

0.1이 모두 ☐ 개이므로

4.6×4=☐ 입니다.

소수 한 자리 수는 분모가 10인 분수로,
소수 두 자리 수는 분모가 100인 분수로 나타내어 계산해.

[5~8] 보기 와 같이 분수의 곱셈으로 계산해 보세요.

보기

$$2.1\times4=\frac{21}{10}\times4=\frac{21\times4}{10}=\frac{84}{10}=8.4 \qquad 1.23\times3=\frac{123}{100}\times3=\frac{123\times3}{100}=\frac{369}{100}=3.69$$

5 2.5×5

6 1.08×4

7 1.9×4

8 5.32×3

[9~10] 계산해 보세요.

9 5.1×3

10 1.26×4

1 개념 빠삭 (1보다 작은 소수)×(자연수)

- 0.5×3의 계산

  (1) 덧셈식으로 계산하기

  $0.5 \times 3 = 0.5 + 0.5 + 0.5 = \boxed{}$

  (2) 0.1의 개수로 계산하기

  0.5는 0.1이 5개입니다.

  0.5×3은 0.1이 5개씩 3묶음입니다.

  0.1이 모두 $\boxed{}$ 개이므로

  0.5×3=1.5입니다.

  (3) 분수의 곱셈으로 계산하기

  $0.5 \times 3 = \dfrac{\boxed{}}{10} \times 3 = \dfrac{5 \times 3}{10} = \dfrac{15}{10} = 1.5$

2 □ 안에 알맞은 수를 써넣으세요.

$0.4 + 0.4 + 0.4 + 0.4$
$= 0.4 \times \boxed{} = \boxed{}$

3 보기 와 같은 방법으로 계산해 보세요.

보기

$0.3 \times 5 = \dfrac{3}{10} \times 5 = \dfrac{3 \times 5}{10} = \dfrac{15}{10} = 1.5$

0.9×5

4 빈칸에 알맞은 수를 써넣으세요.

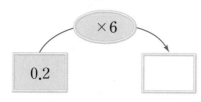

5 크기를 비교하여 ○ 안에 >, =, <를 알맞게 써넣으세요.

$0.7 \times 9 \bigcirc 6.5$

6 어림하여 계산 결과가 3보다 큰 것에 ○표 하세요.

0.5×7	0.98×3
( )	( )

7 정삼각형의 둘레는 몇 m인가요?

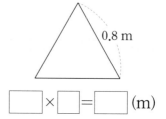

$\boxed{} \times \boxed{} = \boxed{}$ (m)

8 참외의 무게는 모두 몇 **kg**인가요?

한 개의 무게가 0.32 kg인 참외가 3개 있네.

식 _____

꼭 단위까지 따라 쓰세요.

답 _____ kg

9 개념 빠삭 (1보다 큰 소수)×(자연수)

- 1.7×2의 계산
  (1) 덧셈식으로 계산하기

    1.7×2=1.7+1.7=☐

  (2) 0.1의 개수로 계산하기

    1.7은 0.1이 17개입니다.

    1.7×2는 0.1이 17개씩 2묶음입니다.

    0.1이 모두 ☐개이므로

    1.7×2=3.4입니다.

  (3) 분수의 곱셈으로 계산하기

    $1.7×2=\dfrac{☐}{10}×2=\dfrac{17×2}{10}=\dfrac{34}{10}=3.4$

10 오른쪽 그림에 1.4×2만큼 이어서 색칠하고 ☐ 안에 알맞은 수를 써넣으세요.

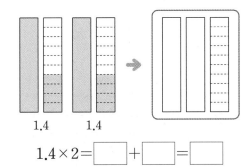

1.4   1.4

1.4×2=☐+☐=☐

11 3.46×2를 0.01의 개수로 계산하려고 합니다. ☐ 안에 알맞은 수를 써넣으세요.

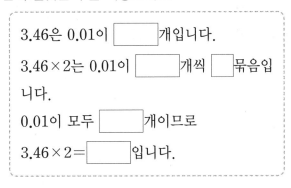

3.46은 0.01이 ☐개입니다.

3.46×2는 0.01이 ☐개씩 ☐묶음입니다.

0.01이 모두 ☐개이므로

3.46×2=☐입니다.

12 계산해 보세요.

(1) 8.5×3

(2) 4.06×6

13 빈칸에 알맞은 수를 써넣으세요.

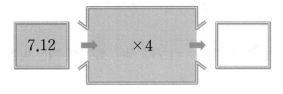

7.12 → ×4 → ☐

14 9.1×3을 계산한 것입니다. 잘못된 곳을 찾아 바르게 계산해 보세요.

$9.1×3=\dfrac{91}{100}×3=\dfrac{91×3}{100}=\dfrac{273}{100}=2.73$

9.1×3

15 민서는 하루에 물을 1.8 L씩 매일 마십니다. 민서가 일주일 동안 마시는 물은 모두 **몇 L**인가요?

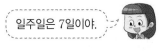

일주일은 7일이야.

식 _____

답 _____ L

소수의 곱셈

개념 원리

❶ (자연수) × (1보다 작은 소수)를 어림하여 알아보기

㉙ 2 × 0.7의 값을 어림하기

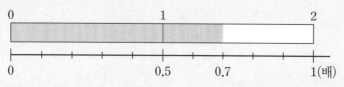

2의 0.5만큼은 2의 반이므로 1이 되고, 2의 0.7만큼은 1보다 조금 더 클 것입니다.

❷ (자연수) × (1보다 작은 소수)의 계산 방법

㉙ 2 × 0.7의 계산

(1) 그림을 이용하여 계산하기

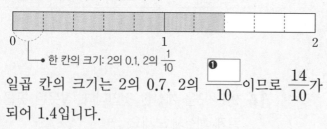

• 한 칸의 크기: 2의 0.1, 2의 $\frac{1}{10}$

일곱 칸의 크기는 2의 0.7, 2의 $\frac{❶}{10}$이므로 $\frac{14}{10}$가 되어 1.4입니다.

(2) 분수의 곱셈으로 계산하기

$2 \times 0.7 = 2 \times \dfrac{7}{10} = \dfrac{\boxed{❷} \times 7}{10} = \dfrac{14}{10} = 1.4$

(3) 자연수의 곱셈으로 계산하기

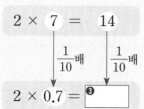

| $2 \times$ ⑦ $= 14$ |
| $\frac{1}{10}$배 $\frac{1}{10}$배 |
| $2 \times 0.7 = \boxed{❸}$ |

곱하는 수가 $\frac{1}{10}$배이면
계산 결과가 $\frac{1}{10}$배입니다.

☑ 교과서 외 개념

$$\begin{array}{c}2 \\ \times\ 7 \\ \hline 1\ 4\end{array} \xrightarrow{\frac{1}{10}배} \begin{array}{c}2 \\ \times\ 0.7 \\ \hline 1.4\end{array}$$
$\xrightarrow{\frac{1}{10}배}$

자연수의 곱셈을 이용하여 세로셈으로 계산할 수도 있습니다.

(주의) $\left.\begin{array}{l}2 \times 0.7 = 1.4 \\ 0.7 \times 2 = 1.4\end{array}\right]$ 같습니다.

➡ 곱해지는 수와 곱하는 수의 순서가 바뀌어도 곱의 결과는 같습니다.

개념 체크

1 2 × 0.4의 값을 어림한 결과에 맞게 알맞은 말에 ○표 하세요.

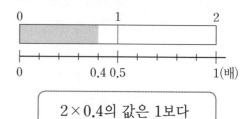

2 × 0.4의 값은 1보다
(큽니다 , 작습니다).

2 그림을 보고 □ 안에 알맞은 수를 써넣으세요.

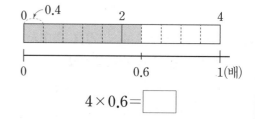

$4 \times 0.6 = \boxed{}$

3 3 × 0.6을 분수의 곱셈으로 계산하려고 합니다. □ 안에 알맞은 수를 써넣으세요.

$3 \times 0.6 = 3 \times \dfrac{\boxed{}}{10} = \dfrac{\boxed{} \times \boxed{}}{10}$

$= \dfrac{\boxed{}}{10} = \boxed{}$

4 자연수의 곱셈으로 계산하려고 합니다. □ 안에 알맞은 수를 써넣으세요.

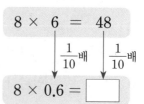

$8 \times 6 = 48$
$\frac{1}{10}$배 $\frac{1}{10}$배
$8 \times 0.6 = \boxed{}$

[1~2] 그림을 보고 □ 안에 알맞은 수를 써넣으세요.

1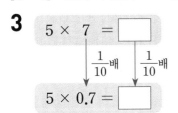

$3 \times 0.8 = \boxed{}$

2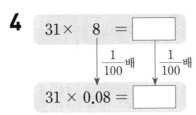

$7 \times 0.7 = \boxed{}$

[3~4] 자연수의 곱셈으로 계산하려고 합니다. □ 안에 알맞은 수를 써넣으세요.

3
$5 \times 7 = \boxed{}$

$\frac{1}{10}$배 $\quad \frac{1}{10}$배

$5 \times 0.7 = \boxed{}$

4
$31 \times 8 = \boxed{}$

$\frac{1}{100}$배 $\quad \frac{1}{100}$배

$31 \times 0.08 = \boxed{}$

곱하는 수가 $\frac{1}{100}$배이면
계산 결과가 $\frac{1}{100}$배예요.

[5~8] 분수의 곱셈으로 계산해 보세요.

5 2×0.9

6 28×0.3

7 7×0.14

8 54×0.02

[9~12] 계산해 보세요.

9 14×0.4

10 18×0.12

11
$$\begin{array}{r} 8 \\ \times\ 0.2 \\ \hline \end{array}$$

12
$$\begin{array}{r} 5 \\ \times\ 0.1\,9 \\ \hline \end{array}$$

4

소수의 곱셈

91

소수의 곱셈

4

92

개념 원리

1 (자연수) × (1보다 큰 소수)를 어림하여 알아보기

예 3 × 2.3의 값을 어림하기

3의 2배는 6이고 3의 3배는 9야.

3의 2.3배는 얼마일까?

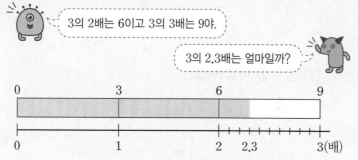

➡️ 3의 2.3배는 6보다 크고 9보다 작을 것입니다.

2 (자연수) × (1보다 큰 소수)의 계산 방법

예 3 × 2.3의 계산

(1) 분수의 곱셈으로 계산하기

$$3 \times 2.3 = 3 \times \frac{\boxed{①}}{10} = \frac{3 \times 23}{10} = \frac{69}{10} = \boxed{②}$$

(2) 자연수의 곱셈으로 계산하기

3 × 23과 3 × 2.3은 자릿값만 다를 뿐 구성하고 있는 숫자가 같아.

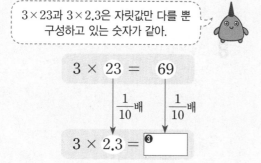

$3 \times 23 = 69$

$\frac{1}{10}$배 $\frac{1}{10}$배

$3 \times 2.3 = \boxed{③}$

곱하는 수가 $\frac{1}{10}$배이면 계산 결과가 $\frac{1}{10}$배입니다.

☑ 교과서 외 개념

자연수의 곱셈을 이용하여 세로셈으로 계산할 수도 있습니다.

$$\begin{array}{r} 3 \\ \times\ 2\ 3 \\ \hline 6\ 9 \end{array} \xrightarrow{\frac{1}{10}배} \begin{array}{r} 3 \\ \times\ 2.3 \\ \hline 6.9 \end{array}$$

$\frac{1}{10}$배

개념 체크

1 4 × 1.7의 값을 어림한 결과에 맞게 알맞은 수에 ○표 하세요.

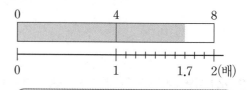

4 × 1.7의 값은 (4 , 8)보다 크고 (4 , 8)보다 작습니다.

2 그림을 보고 □ 안에 알맞은 수를 써넣으세요.

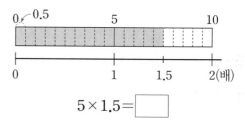

$5 \times 1.5 = \boxed{}$

3 2 × 2.5를 분수의 곱셈으로 계산하려고 합니다. □ 안에 알맞은 수를 써넣으세요.

$$2 \times 2.5 = 2 \times \frac{\boxed{}}{10} = \frac{\boxed{} \times \boxed{}}{10}$$

$$= \frac{\boxed{}}{10} = \boxed{}$$

4 자연수의 곱셈으로 계산하려고 합니다. □ 안에 알맞은 수를 써넣으세요.

$4 \times 24 = 96$

$\frac{1}{10}$배 $\frac{1}{10}$배

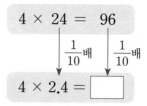

$4 \times 2.4 = \boxed{}$

[1~2] 그림을 이용하여 계산하려고 합니다. □ 안에 알맞은 수를 써넣으세요.

1
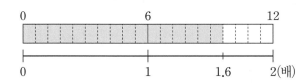

6의 1배는 □이고, 6의 0.6배는 □입니다.

➡ 6의 1.6배는 6+□=□입니다.

2
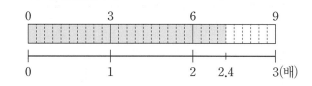

3의 2배는 □이고, 3의 0.4배는 □입니다.

➡ 3의 2.4배는 □+□=□입니다.

[3~4] 자연수의 곱셈으로 계산하려고 합니다. □ 안에 알맞은 수를 써넣으세요.

3

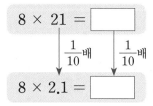

$8 \times 21 = \boxed{}$

$\frac{1}{10}$배 $\frac{1}{10}$배

$8 \times 2.1 = \boxed{}$

4

$7 \times 104 = \boxed{}$

$\frac{1}{100}$배 $\frac{1}{100}$배

$7 \times 1.04 = \boxed{}$

[5~8] 분수의 곱셈으로 계산해 보세요.

5 3×2.6

6 19×1.2

7 6×5.14

8 20×2.09

[9~12] 계산해 보세요.

9 33×1.6

10 30×1.22

소수점 아래 끝자리 수가 0이면
0을 생략하여 나타낼 수 있어.

11
$$\begin{array}{r} 9 \\ \times\, 3.5 \\ \hline \end{array}$$

12
$$\begin{array}{r} 5\,4 \\ \times\, 2.0\,5 \\ \hline \end{array}$$

1 개념 빠삭   (자연수)×(1보다 작은 소수)

• 3×0.4의 계산

(1) 분수의 곱셈으로 계산하기

$$3 \times 0.4 = 3 \times \frac{4}{10} = \frac{\boxed{} \times 4}{10} = \frac{12}{10} = 1.2$$

(2) 자연수의 곱셈으로 계산하기

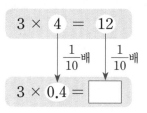

$$3 \times \boxed{4} = \boxed{12}$$

$\frac{1}{10}$배 $\frac{1}{10}$배

$$3 \times 0.4 = \boxed{}$$

2 2×0.8을 계산하려고 합니다. 그림에 알맞게 색칠하고 □ 안에 알맞은 수를 써넣으세요.

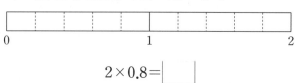

0   1   2

$$2 \times 0.8 = \boxed{}$$

3 □ 안에 알맞은 수를 써넣으세요.

$$5 \times 0.9 = 5 \times \frac{\boxed{}}{10} = \frac{5 \times \boxed{}}{10} = \frac{\boxed{}}{10} = \boxed{}$$

4 계산해 보세요.

(1) 8×0.3

(2) 6×0.24

5 분수의 곱셈으로 계산해 보세요.

$$18 \times 0.6$$

6 빈 곳에 알맞은 수를 써넣으세요.

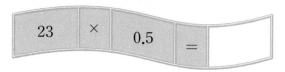

| 23 | × | 0.5 | = | |

7 $28 \times 3 = 84$입니다. 잘못 계산한 사람은 누구인지 이름을 쓰세요.

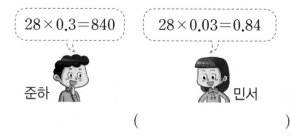

$28 \times 0.3 = 840$ $28 \times 0.03 = 0.84$

준하   민서

(   )

문제 해결

8 준서의 일기입니다. 준서가 오늘 아낀 물은 몇 L 인가요?

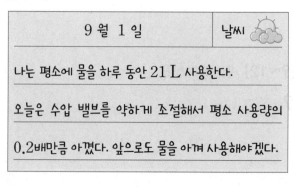

9월 1일	날씨

나는 평소에 물을 하루 동안 $21\,L$ 사용한다.

오늘은 수압 밸브를 약하게 조절해서 평소 사용량의

0.2배만큼 아꼈다. 앞으로도 물을 아껴 사용해야겠다.

식 _____

꼭 단위까지 따라 쓰세요.

답 _____ L

9 개념 빠삭 (자연수)×(1보다 큰 소수)

• 2×1.9의 계산

(1) 분수의 곱셈으로 계산하기

$$2 \times 1.9 = 2 \times \frac{19}{\boxed{}} = \frac{2 \times 19}{10} = \frac{38}{10} = 3.8$$

(2) 자연수의 곱셈으로 계산하기

$$2 \times 19 = 38$$

$\frac{1}{10}$배 $\frac{1}{10}$배

$$2 \times 1.9 = \boxed{}$$

10 □ 안에 알맞은 수를 써넣으세요.

$$7 \times 1.6 = 7 \times \frac{\boxed{}}{10} = \frac{7 \times \boxed{}}{10}$$

$$= \frac{\boxed{}}{10} = \boxed{}$$

11 자연수의 곱셈으로 계산하려고 합니다. □ 안에 알맞은 수를 써넣으세요.

$$4 \times 23 = \boxed{}$$

$$\Rightarrow 4 \times 2.3 = \boxed{}$$

12 계산해 보세요.

(1) 5
$\times 1.5$

(2) $1\,7$
$\times 2.1$

13 ㉠×㉡의 값을 구해 보세요.

| ㉠ 24 | ㉡ 2.8 |

( )

14 크기를 비교하여 ○ 안에 >, =, <를 알맞게 써넣으세요.

$$50 \times 2.25 \bigcirc 110.8$$

15 어림하여 계산 결과가 6보다 큰 것을 찾아 기호를 써 보세요.

㉠ 3×1.9

㉡ 2의 3.01배

( )

16 평행사변형의 넓이는 몇 cm²인가요?

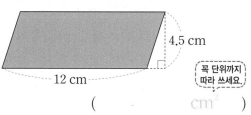

4.5 cm

12 cm

꼭 단위까지 따라 쓰세요.

(cm²)

(평행사변형의 넓이)=(밑변의 길이)×(높이)

개념 원리

✳ **1보다 작은 소수끼리의 곱셈의 계산 방법**

예 0.5×0.9의 계산

(1) 그림을 이용하여 계산하기

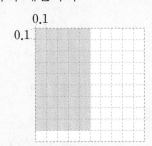

모눈종이의 가로를 0.5만큼 색칠하고, 세로를 0.9만큼 색칠하면 45칸이 색칠됩니다.
한 칸의 넓이가 0.01이므로 45칸은 0.45입니다.

➡ 0.5×0.9=❶[   ]

(2) 분수의 곱셈으로 계산하기

$$0.5×0.9=\frac{5}{10}×\frac{9}{10}=\frac{45}{❷\boxed{}}=0.45$$

(3) 자연수의 곱셈으로 계산하기

| 5 | × | 9 | = | 45 |

$\frac{1}{10}$배　$\frac{1}{10}$배　$\frac{1}{100}$배

| 0.5 | × | 0.9 | = | 0.45 |

0.5는 5의 $\frac{1}{10}$배이고 0.9는 9의 $\frac{1}{10}$배입니다.

0.5×0.9는 5×9=45의 $\frac{1}{10}×\frac{1}{10}=\frac{1}{100}$(배)입니다.

(4) 소수의 크기를 생각하여 계산하기

5×9=45인데 0.5에 0.9를 곱하면 0.5보다 작은 값이 나와야 하므로 계산 결과는 ❸[   ]입니다.

$$\begin{array}{r}5\\ \times\,9\\ \hline 4\,5\end{array} \quad ➡ \quad \begin{array}{r}0.5\\ \times\,0.9\\ \hline 0.4\,5\end{array}$$

자연수의 곱셈 결과에 소수의 크기를 생각하여 소수점을 찍어.

개념 체크

1 그림을 보고 □ 안에 알맞은 수를 써넣으세요.

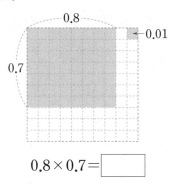

0.8×0.7=[   ]

2 0.2×0.9를 분수의 곱셈으로 계산하려고 합니다. □ 안에 알맞은 수를 써넣으세요.

$$0.2×0.9=\frac{\boxed{}}{10}×\frac{\boxed{}}{10}$$

$$=\frac{\boxed{}}{100}=\boxed{}$$

3 자연수의 곱셈으로 계산하려고 합니다. □ 안에 알맞은 수를 써넣으세요.

| 4 | × | 6 | = | 24 |

$\frac{1}{10}$배　$\frac{1}{10}$배　[   ]배

| 0.4 | × | 0.6 | = | [   ] |

4 0.6×0.6을 소수의 크기를 생각하여 계산 결과에 소수점을 찍어 보세요.

$$\begin{array}{r}6\\ \times\,6\\ \hline 3\,6\end{array} \quad ➡ \quad \begin{array}{r}0.6\\ \times\,0.6\\ \hline 3\,6\end{array}$$

 정답 ❶ 0.45 ❷ 100 ❸ 0.45

[1~2] 분수의 곱셈으로 계산하려고 합니다. □ 안에 알맞은 수를 써넣으세요.

1 $0.2 \times 0.7 = \dfrac{\square}{10} \times \dfrac{\square}{10}$

$= \dfrac{\square}{\square} = \square$

2 $0.8 \times 0.12 = \dfrac{\square}{10} \times \dfrac{\square}{100}$

$= \dfrac{\square}{\square} = \square$

[3~4] 자연수의 곱셈으로 계산하려고 합니다. □ 안에 알맞은 수를 써넣으세요.

3 $3 \times 8 = \square$

$\dfrac{1}{10}$배 $\dfrac{1}{10}$배 $\dfrac{1}{100}$배

$0.3 \times 0.8 = \square$

4 $4 \times 5 = \square$

$\dfrac{1}{10}$배 $\dfrac{1}{10}$배 $\dfrac{1}{100}$배

$0.4 \times 0.5 = \square$

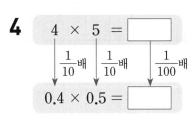

소수점 아래 끝자리 수가 0이면 0을 생략하여 나타낼 수 있어.

[5~6] 소수의 크기를 생각하여 계산하려고 합니다. □ 안에 알맞은 수를 써넣고 알맞은 말에 ○표 하세요.

5 0.7×0.8

$7 \times 8 = \boxed{}$ 인데 0.7에 0.8을 곱하면 0.7보다 (큰 , 작은) 값이 나와야 하므로 계산 결과는 $\boxed{}$ 입니다.

6 0.42×0.6

$42 \times 6 = \boxed{}$ 인데 0.42에 0.6을 곱하면 0.42의 0.5배인 0.21보다 (큰 , 작은) 값이 나와야 하므로 계산 결과는 $\boxed{}$ 입니다.

97

[7~10] 계산해 보세요.

7 0.23×0.5

8 0.6×0.14

9
$$\begin{array}{r} 0.3 \\ \times\ 0.2 \\ \hline \end{array}$$

10
$$\begin{array}{r} 0.5\,8 \\ \times\ 0.1\,5 \\ \hline \end{array}$$

4

소수의 곱셈

98

개념 원리

❶ 1보다 큰 소수끼리의 곱셈을 어림하여 알아보기

예) 1.5×1.3의 값을 어림하기

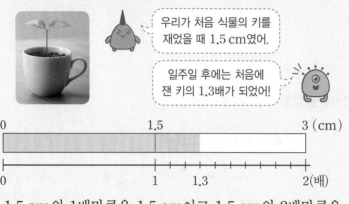

> 우리가 처음 식물의 키를 재었을 때 1.5 cm였어.

> 일주일 후에는 처음에 잰 키의 1.3배가 되었어!

1.5 cm의 1배만큼은 1.5 cm이고 1.5 cm의 2배만큼은 3 cm이므로 1.5의 1.3배는 1.5보다 조금 더 클 것입니다.

❷ 1보다 큰 소수끼리의 곱셈의 계산 방법

예) 1.5×1.3의 계산

(1) 분수의 곱셈으로 계산하기

$$1.5 \times 1.3 = \frac{15}{10} \times \frac{13}{10} = \frac{195}{❶\boxed{}} = 1.95$$

(2) 자연수의 곱셈으로 계산하기

$$15 \times 13 = 195$$

$\frac{1}{10}$배 $\frac{1}{10}$배 ❷$\boxed{}$배

$$1.5 \times 1.3 = 1.95$$

1.5는 15의 $\frac{1}{10}$배, 1.3은 13의 $\frac{1}{10}$배입니다. 1.5×1.3 은 15×13=195의 $\frac{1}{10} \times \frac{1}{10} = \frac{1}{100}$(배)입니다.

(3) 소수의 크기를 생각하여 계산하기

15×13=195인데 1.5에 1.3을 곱하면 1.5보다 조금 큰 값이 나와야 하므로 계산 결과는 ❸$\boxed{}$입니다.

$$\begin{array}{r} 1\ 5 \\ \times\ 1\ 3 \\ \hline 1\ 9\ 5 \end{array} \rightarrow \begin{array}{r} 1.5 \\ \times\ 1.3 \\ \hline 1.9\ 5 \end{array}$$

> 자연수의 곱셈 결과에 소수의 크기를 생각하여 소수점을 찍어.

개념 체크

1 분수의 곱셈으로 계산하려고 합니다. □ 안에 알맞은 수를 써넣으세요.

(1) $1.5 \times 2.3 = \dfrac{\boxed{}}{10} \times \dfrac{\boxed{}}{10}$

$= \dfrac{\boxed{}}{100} = \boxed{}$

(2) $3.1 \times 4.2 = \dfrac{\boxed{}}{10} \times \dfrac{\boxed{}}{10}$

$= \dfrac{\boxed{}}{100} = \boxed{}$

2 자연수의 곱셈으로 계산하려고 합니다. □ 안에 알맞은 수를 써넣으세요.

(1) $55 \times 17 = 935$

$\frac{1}{10}$배 $\frac{1}{10}$배 $\frac{1}{100}$배

$5.5 \times 1.7 = \boxed{}$

(2) $26 \times 32 = 832$

$\frac{1}{10}$배 $\frac{1}{10}$배 $\frac{1}{100}$배

$2.6 \times 3.2 = \boxed{}$

3 3.12×1.2를 소수의 크기를 생각하여 계산 결과에 소수점을 찍어 보세요.

$$\begin{array}{r} 3\ 1\ 2 \\ \times\ \ 1\ 2 \\ \hline 3\ 7\ 4\ 4 \end{array} \rightarrow \begin{array}{r} 3.1\ 2 \\ \times\ \ 1.2 \\ \hline 3\ 7\ 4\ 4 \end{array}$$

 정답 ❶ 100 ❷ $\frac{1}{100}$ ❸ 1.95

[1~2] 분수의 곱셈으로 계산하려고 합니다. □ 안에 알맞은 수를 써넣으세요.

1 $1.4 \times 2.3 = \dfrac{\boxed{}}{10} \times \dfrac{\boxed{}}{10}$

$= \dfrac{\boxed{}}{\boxed{}} = \boxed{}$

2 $3.18 \times 1.5 = \dfrac{\boxed{}}{100} \times \dfrac{\boxed{}}{10}$

$= \dfrac{\boxed{}}{\boxed{}} = \boxed{}$

[3~4] 자연수의 곱셈으로 계산하려고 합니다. □ 안에 알맞은 수를 써넣으세요.

3
$34 \times 16 = 544$

$\frac{1}{10}$배 　 $\frac{1}{10}$배 　 $\boxed{}$배

$3.4 \times 1.6 = \boxed{}$

4
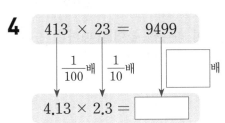
$413 \times 23 = 9499$

$\frac{1}{100}$배 　 $\frac{1}{10}$배 　 $\boxed{}$배

$4.13 \times 2.3 = \boxed{}$

[5~6] 소수의 크기를 생각하여 계산하려고 합니다. □ 안에 알맞은 수를 써넣으세요.

5 3.6×1.3

$36 \times 13 = \boxed{}$ 인데 3.6에 1.3을 곱하면 3.6의 1배인 3.6보다 조금 커야 하므로 계산 결과는 $\boxed{}$ 입니다.

6 1.63×2.8

$163 \times 28 = \boxed{}$ 인데 1.63에 2.8을 곱하면 1.63의 3배인 $\boxed{}$ 보다 조금 작아야 하므로 계산 결과는 $\boxed{}$ 입니다.

[7~10] 계산해 보세요.

7 2.9×3.1

8 2.3×1.06

9
$$\begin{array}{r} 5.6 \\ \times\ 1.4 \\ \hline \end{array}$$

10
$$\begin{array}{r} 1.1\,5 \\ \times\ \ \ 1.3 \\ \hline \end{array}$$

개념 원리

❶ (소수)×10, 100, 1000에서 곱의 소수점 위치의 규칙 찾기

$$1.68 \times 1 = \boxed{❶}$$

$$1.68 \times 10 = 16.8$$
오른쪽으로 1칸

$$1.68 \times 100 = 168$$
오른쪽으로 2칸

$$1.68 \times 1000 = 1680$$
오른쪽으로 3칸

곱하는 수의 0이 하나씩 늘어날 때마다 곱의 소수점이 오른쪽으로 한 칸씩 옮겨집니다.

❷ (자연수)×0.1, 0.01, 0.001에서 곱의 소수점 위치의 규칙 찾기

$$168 \times 1 = \boxed{❷}$$

$$168 \times 0.1 = 16.8$$
왼쪽으로 1칸

$$168 \times 0.01 = 1.68$$
왼쪽으로 2칸

$$168 \times 0.001 = 0.168$$
왼쪽으로 3칸

곱하는 소수의 소수점 아래 자리 수가 하나씩 늘어날 때마다 곱의 소수점이 왼쪽으로 한 칸씩 옮겨집니다.

❸ (소수)×(소수)에서 곱의 소수점 위치의 규칙 찾기

$$9 \times 7 = \boxed{❸}$$

$$0.9 \times 0.7 = 0.63$$
$$0.9 \times 0.07 = 0.063$$

> 0.9는 소수점 아래 한 자리 수이고 0.07은 소수점 아래 두 자리 수 이므로 0.9×0.07은 소수점 아래 세 자리 수예요.

곱하는 두 수의 소수점 아래 자리 수를 더한 값만큼 곱의 소수점 아래 자리 수가 정해집니다.

주의 곱하는 두 수의 소수점 아래 자리 수만 생각하여 계산 결과의 소수점을 찍지 않도록 주의합니다.

예 $0.4 \times 0.5 = 0.02 (\times)$
$4 \times 5 = 20 \rightarrow 0.4 \times 0.5 = 0.20 (\bigcirc)$

개념 체크

1 다음을 보고 알맞은 말에 ○표 하세요.

$$0.15 \times 10 = 1.5$$
$$0.15 \times 100 = 15$$
$$0.15 \times 1000 = 150$$

➡ 곱하는 수의 0의 수만큼 소수점이 (오른쪽 , 왼쪽)으로 옮겨집니다.

2 소수점 위치를 생각하여 □ 안에 알맞은 수를 써넣으세요.

$$230 \times 0.1 = \boxed{}$$
$$230 \times 0.01 = \boxed{}$$
$$230 \times 0.001 = \boxed{}$$

3 소수점의 위치를 생각하여 곱의 결과에 소수점을 바르게 찍어 보세요.

$$94 \times 13 = 1222$$

$$\downarrow$$

$$94 \times 0.13 = 1\,2\,2\,2$$

4 $6 \times 8 = 48$을 이용하여 계산해 보세요.

(1) $0.6 \times 0.8 = \boxed{}$

(2) $0.06 \times 0.8 = \boxed{}$

정답 ❶ 1.68 ❷ 168 ❸ 63

[1~2] 소수점의 위치를 생각하여 □ 안에 알맞은 수를 써넣으세요.

1 $1.735 \times 10 = \boxed{}$

$1.735 \times 100 = \boxed{}$

$1.735 \times 1000 = \boxed{}$

2 $870 \times 0.1 = \boxed{}$

$870 \times 0.01 = \boxed{}$

$870 \times 0.001 = \boxed{}$

[3~4] 자연수의 곱셈으로 계산하려고 합니다. □ 안에 알맞은 수를 써넣으세요.

3 $35 \times 27 = 945$

0.1배　　　$\boxed{}$배

$35 \times 2.7 = \boxed{}$

4 $64 \times 59 = 3776$

0.1배　0.1배　　$\boxed{}$배

$6.4 \times 5.9 = \boxed{}$

[5~6] 분수의 곱셈으로 계산하려고 합니다. □ 안에 알맞은 수를 써넣으세요.

5

$43 \times 52 = \dfrac{\boxed{}}{1} \times \dfrac{52}{\boxed{}} = \dfrac{\boxed{}}{1} = \boxed{}$

$43 \times 5.2 = \dfrac{43}{\boxed{}} \times \dfrac{\boxed{}}{10} = \dfrac{\boxed{}}{10} = \boxed{}$

6

$8 \times 7 = \dfrac{8}{\boxed{}} \times \dfrac{\boxed{}}{1} = \dfrac{\boxed{}}{1} = \boxed{}$

$0.8 \times 0.7 = \dfrac{8}{\boxed{}} \times \dfrac{\boxed{}}{10} = \dfrac{56}{\boxed{}} = \boxed{}$

[7~8] 곱셈식을 이용하여 계산해 보세요.

7 $29 \times 64 = 1856$

$29 \times 6.4 = \boxed{}$

$29 \times 0.64 = \boxed{}$

$29 \times 0.064 = \boxed{}$

8 $75 \times 127 = 9525$

$7.5 \times 12.7 = \boxed{}$

$7.5 \times 1.27 = \boxed{}$

$0.75 \times 12.7 = \boxed{}$

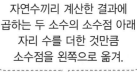

자연수끼리 계산한 결과에 곱하는 두 소수의 소수점 아래 자리 수를 더한 것만큼 소수점을 왼쪽으로 옮겨.

1 개념 빠삭 ┃ 1보다 작은 (소수)×(소수)

• 0.5×0.7의 계산

⑴ 분수의 곱셈으로 계산하기

$$0.5 \times 0.7 = \frac{5}{10} \times \frac{\square}{10} = \frac{35}{100} = 0.35$$

⑵ 자연수의 곱셈으로 계산하기

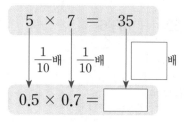

$$5 \times 7 = 35$$

$\frac{1}{10}$배 $\frac{1}{10}$배 $\boxed{}$배

$$0.5 \times 0.7 = \boxed{}$$

2 보기 와 같은 방법으로 계산해 보세요.

보기

$$0.03 \times 0.4 = \frac{3}{100} \times \frac{4}{10} = \frac{12}{1000} = 0.012$$

0.06×0.7

3 계산 결과를 찾아 이어 보세요.

0.6×0.8 •

0.7×0.7 •

• 0.49

• 0.48

• 0.51

4 ☐ 안에 알맞은 소수를 구하세요.

$$9 \times 6 = 54 \Rightarrow 0.9 \times \square = 0.054$$

(   )

추론

5 우주가 계산기로 0.02×0.5를 계산하려고 두 수를 눌렀는데 0.02의 소수점 위치를 잘못 눌러 다음과 같은 결과가 나왔습니다. 우주가 계산기에 누른 수를 써 보세요.

$$\boxed{} \times 0.5$$

6 개념 빠삭 ┃ 1보다 큰 (소수)×(소수)

• 1.4×2.4의 계산

⑴ 분수의 곱셈으로 계산하기

$$1.4 \times 2.4 = \frac{14}{10} \times \frac{24}{10} = \frac{336}{\square} = 3.36$$

⑵ 자연수의 곱셈으로 계산하기

$$14 \times 24 = 336$$

$\frac{1}{10}$배 $\frac{1}{10}$배 $\boxed{}$배

$$1.4 \times 2.4 = \boxed{}$$

7 자연수의 곱셈으로 계산해 보세요.

$$12 \times 272 = \boxed{}$$

$$\Rightarrow 1.2 \times 2.72 = \boxed{}$$

8 빈 곳에 두 수의 곱을 써넣으세요.

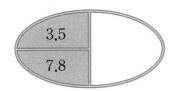

9 2.5×1.1을 계산한 것입니다. 잘못된 곳을 찾아 바르게 계산해 보세요.

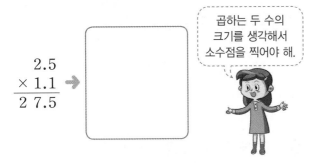

곱하는 두 수의 크기를 생각해서 소수점을 찍어야 해.

10 빈칸에 알맞은 수를 써넣으세요.

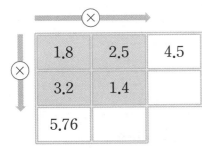

11 지우의 몸무게는 35.5 kg이고 윤서의 몸무게는 지우의 몸무게의 1.2배입니다. 윤서의 몸무게는 **몇 kg**인가요?

식 _____

답 _____ kg

꼭 단위까지 따라 쓰세요.

12 개념 빠삭 곱의 소수점 위치

- (소수)×10, 100, 1000에서 곱의 소수점 위치의 규칙 찾기

  예 0.39×10=3.9, 0.39×100=☐, 0.39×1000=390.

- (자연수)×0.1, 0.01, 0.001에서 곱의 소수점 위치의 규칙 찾기

  예 160×0.1=16, 160×0.01=☐, 160×0.001=0.16

- (소수)×(소수)에서 곱의 소수점 위치의 규칙 찾기

  예 8×57=456 ➡ 0.8×0.57=☐

13 보기 를 이용하여 계산해 보세요.

보기
47×26=1222

(1) 4.7×2.6

(2) 0.47×2.6

14 ☐ 안에 알맞은 수를 써넣으세요.

(1) 0.625×☐=62.5

(2) 38×☐=3.8

15 154×27=4158을 이용하여 ◯ 안에 >, =, <를 알맞게 써넣으세요.

1.54×27 ◯ 15.4×2.7

4

소수의 곱셈

103

평가 4단원 빠삭

1 수직선을 보고 □ 안에 알맞은 수를 써넣으세요.

(1) 0.3씩 6이면 □ 입니다.

(2) 덧셈식으로 나타내면

0.3+0.3+0.3+0.3+0.3+0.3= □ 입니다.

(3) 곱셈식으로 나타내면 0.3× □ = □ 입니다.

2 8.2×4를 0.1의 개수로 계산해 보세요.

8.2는 0.1이 □ 개입니다.

8.2×4는 0.1이 □ 개씩 □ 묶음입니다.

0.1이 모두 □ 개이므로

8.2×4= □ 입니다.

3 분수의 곱셈으로 계산해 보세요.

$2.16 \times 3 = \dfrac{□}{100} \times 3 = \dfrac{□ \times 3}{100}$

$= \dfrac{□}{100} = □$

4 자연수의 곱셈으로 계산해 보세요.

5×9= □ ➡ 5×0.9= □

5 계산해 보세요.

(1) 1.3×1.5

(2) 2.8×3.14

6 □ 안에 알맞은 수를 써넣으세요.

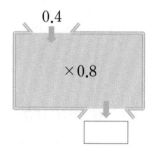

0.4

×0.8

7 두 수의 곱을 구하세요.

| 9 | 0.45 |

( )

핵심체크

4. 곱하는 수가 $\dfrac{1}{10}$배이면 계산 결과도 $\dfrac{1}{10}$배입니다.

예 7×8=56 ➡ 7×0.8=5.6

소수의 곱셈

104

추론

8 63×21=1323입니다. 0.63×2.1의 값을 어림하여 결과 값에 소수점을 찍어 보세요.

$$0.63 × 2.1 = 1\ 3\ 2\ 3$$

9 크기를 비교하여 ○ 안에 >, =, <를 알맞게 써넣으세요.

$$0.58 × 5 \bigcirc 3$$

10 100원짜리 동전 10개, 100개, 1000개의 무게는 각각 몇 g인지 소수점의 위치를 생각하여 알아보세요.

 1개의 무게: 5.42 g

$$5.42 × 10 = \boxed{} \text{(g)}$$
$$5.42 × 100 = \boxed{} \text{(g)}$$
$$5.42 × 1000 = \boxed{} \text{(g)}$$

11 계산 결과를 찾아 이어 보세요.

8×1.2	•		•	17.5
7×2.1	•		•	14.7
5×3.5	•		•	9.6

12 □ 안에 알맞은 수를 써넣으세요.

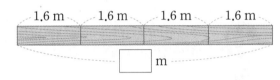

1.6 m   1.6 m   1.6 m   1.6 m

$$\boxed{} \text{m}$$

13 현우가 0.6×0.03을 계산한 것입니다. 잘못된 곳을 찾아 바르게 계산해 보세요.

$$0.6 × 0.03 = \frac{6}{10} × \frac{3}{10} = \frac{18}{100} = 0.18$$

↓

$$0.6 × 0.03$$

14 □ 안에 알맞은 수를 써넣으세요.

(1) $28.7 × \boxed{} = 0.287$

(2) $0.59 × \boxed{} = 590$

4

소수의 곱셈

105

핵심체크

10. 곱하는 수의 0이 하나씩 늘어날 때마다 곱의 소수점이 오른쪽으로 한 칸씩 옮겨집니다.

예 $1.23 × 10 = 12.3$, $1.23 × 100 = 123$

15 가장 큰 수와 가장 작은 수의 곱을 구하세요.

> 5.59   7.3   3.1

( )

18 어림하여 계산 결과가 5보다 큰 것을 찾아 기호를 써 보세요.

> ㉠ 9의 0.48   ㉡ 8×0.59
>
> ㉢ 7×0.69   ㉣ 6의 0.91배

( )

16 빵을 만드는 데 필요한 밀가루의 무게는 몇 kg인 가요?

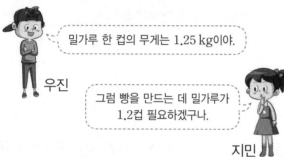

밀가루 한 컵의 무게는 1.25 kg이야.

우진

그럼 빵을 만드는 데 밀가루가 1.2컵 필요하겠구나.

지민

식 _____

답 _____

19 □ 안에 들어갈 수 있는 자연수는 모두 몇 개인지 구하세요.

> 2×3.9< □ <5×2.1

( )

17 학교에서 건우네 집까지의 거리는 3 km이고 학교에서 공원까지의 거리는 학교에서 건우네 집까지의 거리의 0.7배입니다. 학교에서 공원까지의 거리는 몇 km인가요?

식 _____

답 _____

20 수진이는 매일 1시간 30분씩 중국어를 공부합니다. 5일 동안 수진이가 중국어를 공부한 시간은 모두 몇 시간인지 소수로 나타내어 보세요.

( )

핵심체크

20. 분 단위를 시간 단위로 나타내려면 분모가 60인 분수로 고칩니다.

예 1시간 12분=$1\frac{12}{60}$시간=$1\frac{2}{10}$시간=1.2시간

5 직육면체

스토리텔링으로 생각열기

아니, 이 향기는?
찾았다. 네가
범인이로구나!

삼총사, 빨리와 봐.
내가 범인을 잡았다고~

다, 당신은…….

추기경님?

사~ 삼총사!

뭐야?
아는 사람이야?

추기경님, 당신이
왜 우리를 공격했죠?
믿을 수가 없어요!

흐흐흐
왜냐고?

그거야 나의 땅과
건물들을 캐고
다녔으니까!!

그렇다면 백성한테
빼앗은 직육면체 모양
건물들의 주인이
당신인가요?

빼앗다니!
원래 그 정도는
당연히 받는 거지!
내가 백성들을 위해
얼마나 기도를
많이 하는데~

저기 바쁜 와중에 미안한데 직육면체가 뭐야? 직사각형이랑 비슷한 것 같긴 한데~

뭐라고?

직육면체는 직사각형 6개로 둘러싸인 도형을 말하는데 선분으로 둘러싸인 부분을 면이라고 하지.

꼭짓점

모서리

면

또, 면과 면이 만나는 선분을 모서리, 모서리와 모서리가 만나는 점을 꼭짓점이라고 해.

그럼, 면이 6개, 모서리가 12개, 꼭짓점이 8개나 되는 거잖아.

그래도 정육면체 모양 금괴 100개를 빼앗은 건 모르는군.

정육면체?

정육면체가 뭐지? 이녀석 금괴도 빼앗았다는데?

커헉! 그걸 듣다니!

정육면체: 정사각형 6개로 둘러싸인 도형

이 나쁜 사람! 백성에게 금괴도 빼앗았단 말이야?

그만해~. 벌을 주는 것도 다 절차가 있는 법이야.

그만하라고!!

문제 생성기 QR 코드를 찍어 보세요. 단원 대표 문제를 풀 수 있어요.

1단계 개념 빠삭

❶ 직사각형 6개로 둘러싸인 도형을 알아볼까요

개념 원리

✿ **직육면체**

1. **직육면체 알아보기**

직육면체: 직사각형 **❶** 개로 둘러싸인 도형

아래 그림과 같은 직육면체에서

┌ 면: 선분으로 둘러싸인 부분

├ 모서리: 면과 **❷** 이 만나는 선분

└ 꼭짓점: 모서리와 **❸** 가 만나는 점

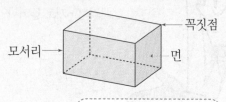

꼭짓점

모서리

면

> 직육면체 모양의 물건에는
> 선물 상자, 과자 상자, 필통
> 등이 있어.

2. **위의 직육면체에서 보이는 면, 모서리, 꼭짓점의 수 구하기**

직육면체에서 보이는 면은 모두 몇 개?

3개

직육면체에서 보이는 모서리는 모두 몇 개?

9개

직육면체에서 보이는 꼭짓점은 모두 몇 개?

7개

개념 체크

1 그림을 보고 □ 안에 알맞게 써넣으세요.

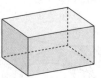

> 직사각형 6개로 둘러싸인 도형을
> [   ] (이)라고 합니다.

2 직육면체를 찾아 기호를 써 보세요.

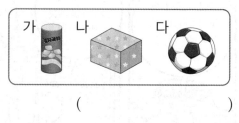

가 　 나 　 다

(　　　　)

3 직육면체의 각 부분의 이름을 □ 안에 알맞게 써넣으세요.

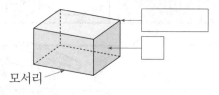

모서리

4 직육면체에서 보이는 모서리의 수를 구해 보세요.

(　　　　)

✔ 정답 　❶ 6 　❷ 면 　❸ 모서리

1 직육면체를 모두 찾아 기호를 써 보세요.

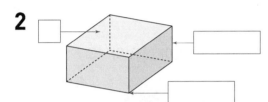

가 　나 　다 　라 　마

(　　　　　　　　　　)

[2~3] 직육면체의 각 부분의 이름을 □ 안에 알맞게 써넣으세요.

2

3
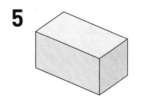
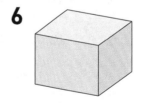

[4~6] 직육면체에서 보이는 면을 모두 찾아 ○로 표시해 보세요.

4 **5** **6**

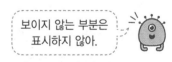

보이지 않는 부분은
표시하지 않아.

[7~9] 직육면체에서 보이는 모서리를 모두 찾아 —— 으로 표시해 보세요.

7  **8**  **9**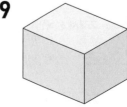

✺ **정육면체**

1. 정육면체 알아보기

정육면체: 정사각형 ❶ [ ]개로 둘러싸인 도형

우린 면 6개 모서리 12개, 꼭짓점 8개로 수가 각각 서로 같은 데 뭐가 다를까?

난 직사각형 6개로 둘러싸여 있지.

직육면체

정육면체

난 정사각형 6개로 둘러싸여 있어.

2. 직육면체와 정육면체 비교하기

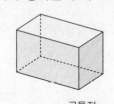

| | 공통점 | | | 차이점 | |
	면의 수 (개)	모서리의 수(개)	꼭짓점의 수(개)	면의 모양	모서리의 길이
직육면체	6	12	8	직사각형	모두 같지는 않습니다.
정육면체	6	12	❷	❸	모두 같습니다.

3. 직육면체와 정육면체의 관계 알아보기

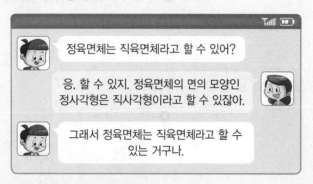

정육면체는 직육면체라고 할 수 있어?

응, 할 수 있지. 정육면체의 면의 모양인 정사각형은 직사각형이라고 할 수 있잖아.

그래서 정육면체는 직육면체라고 할 수 있는 거구나.

1 그림을 보고 □ 안에 알맞게 써넣으세요.

정사각형 6개로 둘러싸인 도형을 [ ](이)라고 합니다.

2 정육면체를 찾아 ○표 하세요.

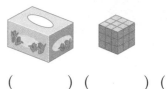

(   ) (   ) (   )

3 정육면체를 보고 빈칸에 알맞은 수를 써넣으세요.

면의 수 (개)	모서리의 수 (개)	꼭짓점의 수 (개)
6		

4 알맞은 말에 ○표 하세요.

정육면체는 직육면체라고 할 수 (있습니다 , 없습니다).

5

직육면체

112

정답 ❶ 6 ❷ 8 ❸ 정사각형

[1~6] 정육면체이면 ○표, 정육면체가 아니면 △표 하세요.

1

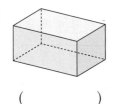

(　　　　　)

2

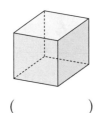

(　　　　　)

3

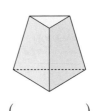

(　　　　　)

정육면체는 정사각형 6개로 둘러싸인 도형이야.

4

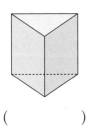

(　　　　　)

5

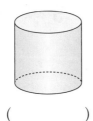

(　　　　　)

6

(　　　　　)

[7~8] 정육면체를 보고 빈칸에 알맞은 수를 써넣으세요.

7

면의 수(개)	모서리의 수(개)	꼭짓점의 수(개)
6		

8

면의 수(개)	모서리의 수(개)	꼭짓점의 수(개)
		8

9 오른쪽 정육면체를 보고 □ 안에 알맞은 수를 써넣으세요.

(1) 보이지 않는 면은 □개입니다.

(2) 보이지 않는 모서리는 □개입니다.

(3) 보이지 않는 꼭짓점은 □개입니다.

1 개념 빠삭 직육면체

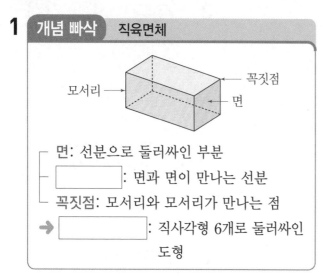

모서리 → ← 꼭짓점
면

- 면: 선분으로 둘러싸인 부분
- ☐ : 면과 면이 만나는 선분
- 꼭짓점: 모서리와 모서리가 만나는 점
→ ☐ : 직사각형 6개로 둘러싸인 도형

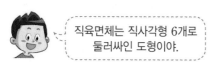
직육면체는 직사각형 6개로 둘러싸인 도형이야.

2 그림을 보고 ☐ 안에 알맞은 말을 써넣으세요.

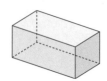

(1) 선분으로 둘러싸인 부분을 ☐(이)라고 합니다.

(2) 면과 면이 만나는 선분을 ☐(이)라고 합니다.

(3) 모서리와 모서리가 만나는 점을 ☐(이)라고 합니다.

3 직육면체를 모두 고르세요. ·············· ( )

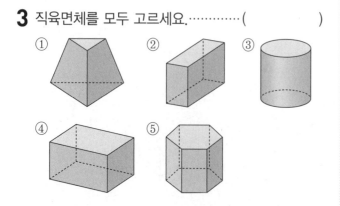

① ② ③
④ ⑤

4 윤지는 직육면체 모양의 상자에 다음과 같이 3가지 색으로 색칠했습니다. 색칠한 부분은 각각 어떤 모양인가요?

( )

5 직육면체를 보고 물음에 답하세요.

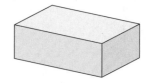

(1) 보이는 면을 모두 찾아 ○로 표시해 보세요.

(2) 보이는 모서리를 모두 찾아 ──으로 표시해 보세요.

(3) 보이는 꼭짓점을 모두 찾아 •으로 표시해 보세요.

6 다음을 읽고 옳은 것에 ○표, 틀린 것에 ×표 하세요.
(1) 직육면체는 직사각형 6개로 둘러싸인 도형입니다. ( )

(2) 직육면체에서 면과 면이 만나는 선분을 꼭짓점이라고 합니다. ( )

7 직육면체를 보고 빈칸에 알맞은 수를 써넣으세요.

보이는 면의 수(개)	보이는 모서리의 수(개)	보이는 꼭짓점의 수(개)

8 개념 빠삭 정육면체

정육면체: ☐ 6개로
둘러싸인 도형

면의 수 (개)	모서리 의 수 (개)	꼭짓점 의 수 (개)	면의 모양	모서리의 길이
6	12	8	정사 각형	모두 같습니다.

➡ 정육면체의 면의 모양인 정사각형은 직사
각형이라고 할 수 있으므로 정육면체는
☐ (이)라고 할 수 있습니다.

9 정육면체를 찾아 기호를 써 보세요.

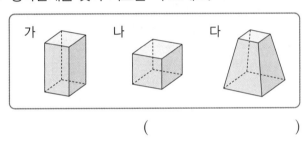

가 나 다

( )

10 정육면체를 보고 ☐ 안에 알맞은 수를 써넣으세요.

(1) 정육면체의 면은 ☐개입니다.

(2) 정육면체의 모서리는 ☐개입니다.

(3) 정육면체의 꼭짓점은 ☐개입니다.

11 정육면체에서 보이지 않는 면과 보이지 않는 모서
리의 수의 합은 **몇** 개인지 구해 보세요.

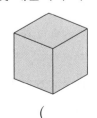

꼭 단위까지
따라 쓰세요.

(개)

12 직육면체와 정육면체를 보고 물음에 답하세요.

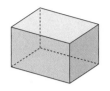

(1) 직육면체와 정육면체의 면의 모양을 각각 써
보세요.

직육면체	정육면체

(2) 정육면체는 직육면체라고 할 수 있나요, 없나
요?

( )

13 한 모서리의 길이가 5 cm인 정육면체 모양의 주
사위가 있습니다. 이 주사위의 모든 모서리의 길이
의 합은 **몇 cm**인가요?

정육면체는 모든
모서리의 길이가 같아.

(cm)

14 틀린 것을 찾아 기호를 써 보세요.

㉠ 정육면체는 직육면체라고 할 수 있습니다.
㉡ 정육면체의 모서리의 길이는 서로 다릅
니다.
㉢ 직육면체와 정육면체의 면, 모서리, 꼭짓
점의 수가 서로 같습니다.

( )

개념 원리

✲ 직육면체의 성질

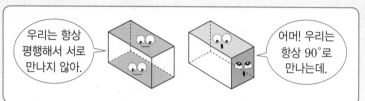

1. 서로 마주 보고 있는 면의 관계 알아보기

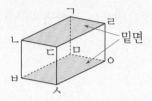

> 직육면체의 밑면: 직육면체에서 색칠한 두 면처럼 계속 늘여도 만나지 않는 두 면

직육면체에서 서로 평행한 면은 3쌍입니다.

- 면 ㄱㄴㄷㄹ과 면 ㅁㅂㅅㅇ
- 면 ㄱㄴㅂㅁ과 면 ㄹㄷㅅㅇ
- 면 ㄱㅁㅇㄹ과 면 ❶

> 3쌍의 평행한 면은 모두 밑면이 될 수 있어.

2. 서로 만나는 면 사이의 관계 알아보기

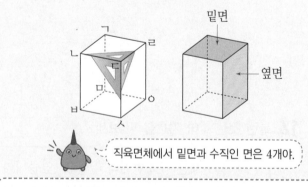

> 직육면체에서 밑면과 수직인 면은 4개야.

> 직육면체의 옆면: 직육면체에서 밑면과 수직인 면

면 ㄱㄴㄷㄹ과 수직인 면 →
- 면 ㄱㅁㅂㄴ
- 면 ㄴㅂㅅㄷ
- 면 ㄷㅅㅇㄹ
- 면 ❷

개념 체크

1 직육면체를 보고 ☐ 안에 알맞게 써넣으세요.

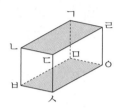

(1) 직육면체에서 색칠한 두 면처럼 계속 늘여도 만나지 않는 두 면을 서로 평행하다고 합니다. 이 두 면을 직육면체의 ☐ (이)라고 합니다.

(2) 직육면체에서 서로 평행한 면은 모두 ☐ 쌍입니다.

(3) 면 ㄱㄴㄷㄹ과 평행한 면은 면 ☐ 입니다.

2 직육면체를 보고 ☐ 안에 알맞게 써넣으세요.

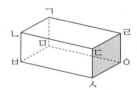

(1) 직육면체에서 밑면과 수직인 면을 직육면체의 ☐ (이)라고 합니다.

(2) 직육면체에서 한 면과 수직으로 만나는 면은 ☐ 개입니다.

(3) 면 ㄷㅅㅇㄹ과 수직인 면은 면 ㄱㄴㄷㄹ, 면 ㄴㅂㅅㄷ, 면 ㅁㅂㅅㅇ, 면 ☐ 입니다.

정답 ❶ ㄴㅂㅅㄷ ❷ ㄱㅁㅇㄹ

[1~3] 직육면체에서 색칠한 면과 마주 보는 면을 찾아 색칠해 보세요.

1
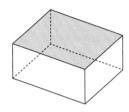

2
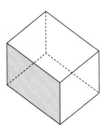

3
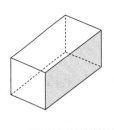

서로 마주 보는 면은 만나지 않아.

[4~6] 직육면체에서 색칠한 면과 평행한 면을 찾아 색칠해 보세요.

4
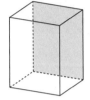

5
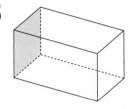

6
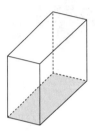

직육면체에서 마주 보는 면끼리는 항상 평행하지.
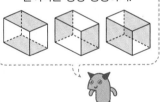

[7~8] 직육면체를 보고 주어진 면과 평행한 면을 찾아 써 보세요.

7
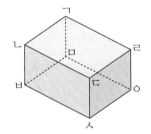

면 ㅁㅂㅅㅇ과 (   )

면 ㄴㅂㅅㄷ과 (   )

면 ㄷㅅㅇㄹ과 (   )

8
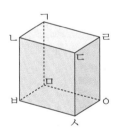

면 ㄱㄴㄷㄹ과 (   )

면 ㄴㅂㅁㄱ과 (   )

면 ㄱㅁㅇㄹ과 (   )

[9~10] 직육면체를 보고 색칠한 면과 수직인 면을 모두 찾아 써 보세요.

9
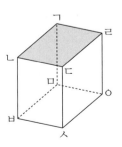

면 (   ), 면 (   ),

면 (   ), 면 (   )

10
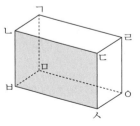

면 (   ), 면 (   ),

면 (   ), 면 (   )

5

직육면체

117

5
직육면체
118

개념 원리

1 직육면체의 겨냥도

직육면체의 겨냥도는 보이는 모서리는 실선으로, 보이지 않는 모서리는 점선으로 맞게 되어 있는데?

반장님! 사건 현장은 옆방이라는데요!

직육면체의 겨냥도 사건

1. 직육면체의 보이는 부분과 보이지 않는 부분

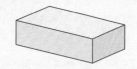

면의 수(개)		모서리의 수(개)		꼭짓점의 수(개)	
보이는 면	보이지 않는 면	보이는 모서리	보이지 않는 모서리	보이는 꼭짓점	보이지 않는 꼭짓점
3	❶	❷	3	7	1

→ 직육면체의 모양이 가장 잘 나타나도록 놓았을 때 보이는 면, 모서리, 꼭짓점과 보이지 않는 면, 모서리, 꼭짓점이 있습니다.

2. 직육면체의 겨냥도: 직육면체 모양을 잘 알 수 있도록 나타낸 그림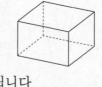
겨냥도에서는 보이는 모서리는 실선으로, 보이지 않는 모서리는 ❸ [ ]으로 그립니다.

2 직육면체의 겨냥도 그리기

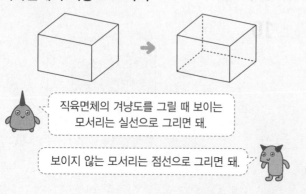

직육면체의 겨냥도를 그릴 때 보이는 모서리는 실선으로 그리면 돼.

보이지 않는 모서리는 점선으로 그리면 돼.

개념 체크

1 직육면체를 보고 □ 안에 알맞은 수를 써넣으세요.

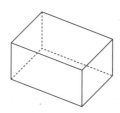

┌ 보이는 모서리: [ ]개
└ 보이지 않는 모서리: [ ]개

2 알맞은 말에 ○표 하세요.

> 직육면체의 겨냥도는 직육면체 모양을 잘 알 수 있도록 보이는 모서리는 (실선 , 점선)으로, 보이지 않는 모서리는 (실선 , 점선)으로 그린 그림입니다.

3 직육면체의 겨냥도를 바르게 그린 것을 찾아 ○표 하세요.

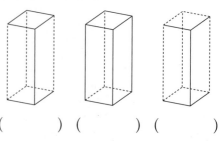

(   ) (   ) (   )

[1~2] 직육면체 모양의 물건을 보고 빈칸에 알맞은 수를 써넣으세요.

1

	보이는 수(개)	보이지 않는 수(개)
면		3
모서리	9	
꼭짓점	7	

2

	보이는 수(개)	보이지 않는 수(개)
면	3	
모서리	9	
꼭짓점		1

3 직육면체의 겨냥도를 바르게 그린 것을 찾아 기호를 써 보세요.

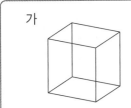
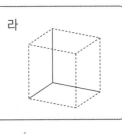

(   )

[4~6] 직육면체에서 보이지 않는 모서리를 점선으로 그려 넣으세요.

4

5

6

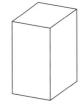

보이는 모서리는 실선으로, 보이지 않는 모서리는 점선으로 나타내.

[7~9] 그림에서 빠진 부분을 그려 넣어 직육면체의 겨냥도를 완성해 보세요.

7

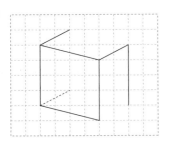

8

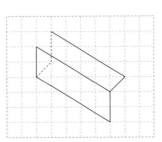

9

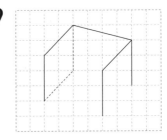

1 개념 빠삭　직육면체의 성질

* 서로 마주 보고 있는 면의 관계
  직육면체에서 색칠한 두 면처럼 계속 늘여도 만나지 않는 두 면을 서로 평행하다고 합니다. 이 두 면을 직육면체의 ☐ (이)라고 합니다.

* 서로 만나는 면 사이의 관계
  직육면체에서 밑면과 수직인 면을 직육면체의 ☐ (이)라고 합니다.

[2~3] 직육면체를 보고 물음에 답하세요.

2 색칠한 면과 평행한 면을 바르게 색칠한 것을 찾아 기호를 써 보세요.

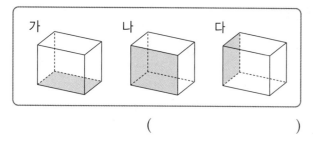

(　　　　　)

3 색칠한 면과 수직인 면을 색칠한 것이 <u>아닌</u> 것을 찾아 기호를 써 보세요.

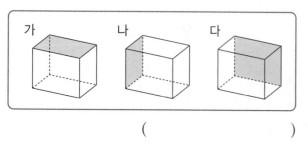

(　　　　　)

4 직육면체에서 색칠한 면과 평행한 면을 찾아 색칠해 보세요.

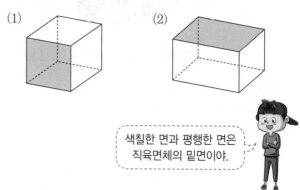

(1)　　　　　　　　　(2)

색칠한 면과 평행한 면은 직육면체의 밑면이야.

5 직육면체를 보고 ☐ 안에 알맞은 수를 써넣으세요.

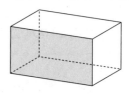

(1) 직육면체에서 밑면은 모두 ☐ 쌍입니다.

(2) 직육면체에서 색칠한 면과 수직으로 만나는 면은 ☐ 개입니다.

[6~7] 직육면체를 보고 물음에 답하세요.

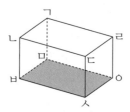

6 면 ㅁㅂㅅㅇ과 평행한 면을 찾아 써 보세요.

(　　　　　)

7 면 ㅁㅂㅅㅇ과 수직인 면을 모두 찾아 써 보세요.

(　　　　　)

8 개념 빠삭 직육면체의 겨냥도

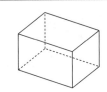

직육면체 모양을 잘 알 수 있도록 나타낸 그림을 직육면체의 **겨냥도**라고 합니다.

① 보이는 모서리는 [＿＿＿＿]으로 그립니다.

② 보이지 않는 모서리는 [＿＿＿＿]으로 그립니다.

9 직육면체에서 보이지 않는 모서리를 점선으로 그려 넣으세요.

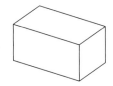

10 직육면체의 겨냥도를 잘못 그린 것을 찾아 기호를 써 보세요.

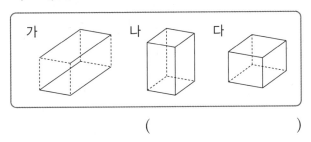

가　　　　나　　　　다

(　　　　　　　　)

11 직육면체에서 보이는 모서리와 보이지 않는 모서리는 각각 **몇** 개인지 쓰세요.

꼭 단위까지 따라 쓰세요.

보이는 모서리 (　　　　 개)

보이지 않는 모서리 (　　　　 개)

12 그림에서 빠진 부분을 그려 넣어 직육면체의 겨냥도를 완성해 보세요.

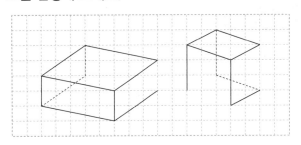

13 직육면체 모양의 물건을 보고 겨냥도를 그려 보세요.

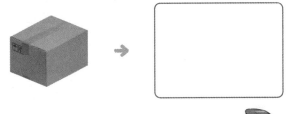

보이지 않는 모서리는 점선으로 나타내.

14 직육면체의 겨냥도를 그리는 방법입니다. 옳은 것에 ○표, 틀린 것에 ×표 하세요.

⑴ 보이지 않는 모서리는 점선으로 그립니다.

(　　　)

⑵ 모서리는 모두 점선으로 그립니다. (　　　)

서술형

15 직육면체의 겨냥도를 잘못 그린 것입니다. 그 이유를 써 보세요.

이유 ＿＿＿＿＿＿＿＿＿＿＿＿＿＿＿＿

＿＿＿＿＿＿＿＿＿＿＿＿＿＿＿＿＿＿

5

직육면체

121

개념 원리

① 정육면체의 전개도

1. 정육면체의 전개도 알아보기

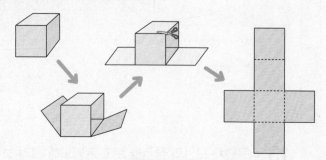

정육면체의 **전개도**: 정육면체의 모서리를 잘라서 펼친 그림

정육면체의 전개도에서 잘린 모서리는 ❶ [   ]으로, 잘리지 않는 모서리는 점선으로 표시합니다.

2. 전개도를 접었을 때의 특징

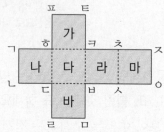

(1) 점 ㄴ과 만나는 점: 점 ㄹ, 점 ㅇ

(2) 선분 ㄱㄴ과 겹치는 선분: 선분 ㅈㅇ

(3) 면 나와 평행한 면: 면 ❷ [   ]

(4) 면 다와 수직인 면: 면 가, 면 나, 면 라, 면 바

② 정육면체의 전개도 그리기

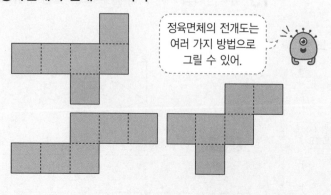

> 정육면체의 전개도는 여러 가지 방법으로 그릴 수 있어.

개념 체크

1 ☐ 안에 알맞은 말을 써넣으세요.

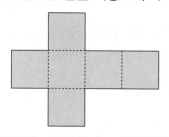

> 정육면체의 모서리를 잘라서 펼친 그림을 정육면체의 [   ](이)라고 합니다.

2 정육면체의 전개도에서 잘린 모서리는 무엇으로 나타내나요?

(   )

3 정육면체의 전개도에서 잘리지 않는 모서리는 무엇으로 나타내나요?

(   )

4 정육면체의 펼친 모양에서 빠진 부분을 그려 넣으세요.

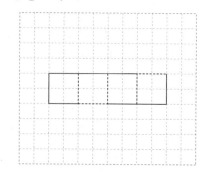

정답 및 풀이 24쪽

[1~2] 전개도를 접어서 정육면체를 만들었을 때 색칠한 면과 평행한 면에 색칠해 보세요.

1

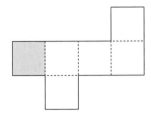

2

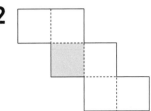

정육면체의
밑면을
찾아봐.

[3~4] 전개도를 접어서 정육면체를 만들었을 때 색칠한 면과 수직인 면에 모두 색칠해 보세요.

3

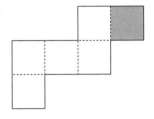

4

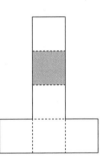

정육면체의
옆면을 모두
찾아봐.

5

직육면체

123

[5~6] 전개도를 접어서 정육면체를 만들었습니다. 물음에 답하세요.

5

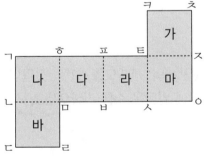

(1) 면 나와 마주 보는 면을 찾아 써 보세요.

( )

(2) 면 가와 수직인 면을 모두 찾아 써 보세요.

( )

(3) 선분 ㄱㄴ과 겹치는 선분을 찾아 써 보세요.

( )

6

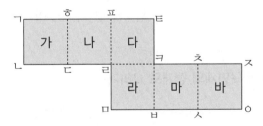

(1) 면 바와 마주 보는 면을 찾아 써 보세요.

( )

(2) 면 다와 수직인 면을 모두 찾아 써 보세요.

( )

(3) 선분 ㅅㅇ과 겹치는 선분을 찾아 써 보세요.

( )

개념 원리

1 직육면체의 전개도

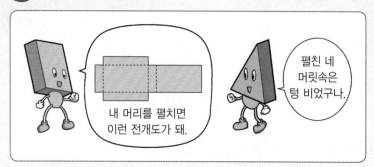

내 머리를 펼치면 이런 전개도가 돼.

펼친 네 머릿속은 텅 비었구나.

전개도를 접었을 때의 특징

전개도를 접었을 때 만나는 부분을 생각하며 접어 봐.

(1) 점 ㄱ과 만나는 점: 점 **❶** , 점 ㅈ

(2) 선분 ㄱㄴ과 만나는 선분: 선분 ㅈㅇ

(3) 면 가와 평행한 면: 면 **❷**

(4) 면 가와 수직인 면: 면 나, 면 다, 면 라, 면 마

2 직육면체의 전개도 그리기

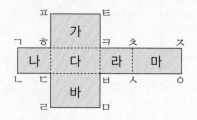

서로 만나는 모서리의 길이는 같게 그립니다.

서로 마주 보는 면은 모양과 크기가 같게 그립니다.

(1) 잘린 모서리는 **❸** 으로, 잘리지 않는 모서리는 점선으로 그립니다.

(2) 서로 마주 보는 면은 모양과 크기가 같게 그립니다.

(3) 접었을 때 서로 만나는 모서리의 길이는 같게 그립니다.

(4) 서로 겹치는 면이 없게 그립니다.

개념 체크

1 직육면체의 전개도를 보고 □ 안에 알맞게 써넣으세요.

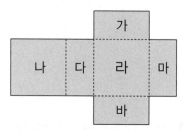

(1) 면 나와 평행한 면 ➡ 면 □

(2) 면 나와 수직인 면

　➡ 면 가, 면 □, 면 □, 면 □

2 직육면체의 전개도를 완성해 보세요.

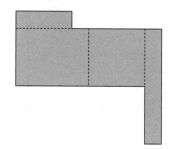

3 직육면체의 전개도를 그린 것입니다. □ 안에 알맞은 수를 써넣으세요.

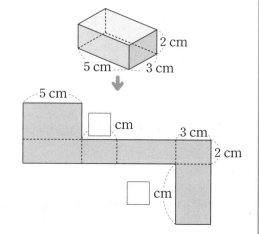

[1~3] 직육면체의 전개도가 맞으면 ○표, 아니면 ×표 하세요.

1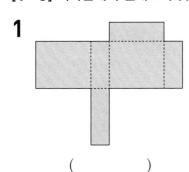

(   )

2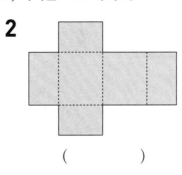

(   )

3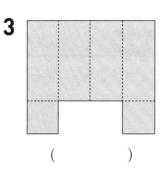

(   )

[4~5] 직육면체의 전개도를 그린 것입니다. ☐ 안에 알맞은 수를 써넣으세요.

4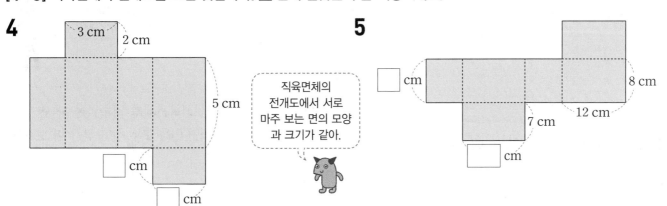

직육면체의
전개도에서 서로
마주 보는 면의 모양
과 크기가 같아.

5

5

직육면체

125

[6~7] 직육면체를 보고 전개도를 완성해 보세요.

직육면체의 전개도에서
잘린 모서리는 실선,
잘리지 않는 모서리는
점선으로 표시해.

6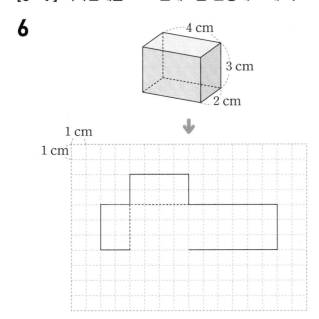

7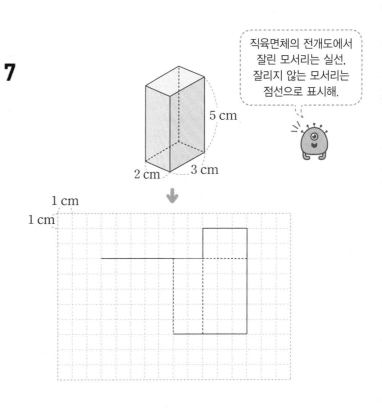

1 개념 빠삭   정육면체의 전개도

정육면체의 전개도: 정육면체의 모서리를 잘라서 펼친 그림

정육면체의 전개도에서 잘린 모서리는 □ 으로, 잘리지 않는 모서리는 □ 으로 표시합니다.

2 정육면체의 전개도를 접었을 때 선분 ㅎㄱ과 겹치는 선분을 찾아 써 보세요.

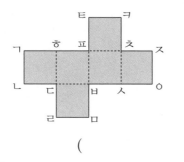

(   )

3 정육면체의 모서리를 잘라서 정육면체의 전개도를 만들었습니다. □ 안에 알맞은 기호를 써넣으세요.

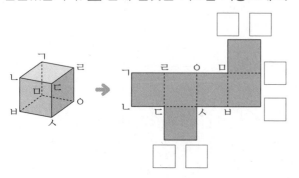

4 정육면체의 전개도가 아닌 것은 어느 것인가요?

.....................................(   )

접었을 때 겹치는 면이 있는지 생각해 봐.

5 전개도를 접어서 정육면체를 만들었을 때 면 다와 평행한 면과 수직인 면을 모두 찾아 각각 써 보세요.

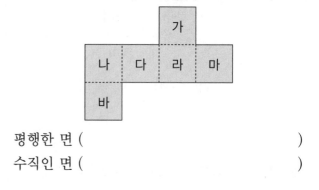

평행한 면 (   )
수직인 면 (   )

6 한 모서리의 길이가 3 cm인 정육면체의 전개도를 그려 보세요.

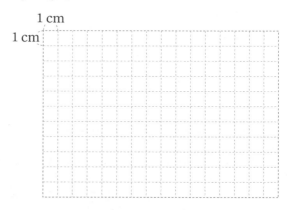

7 **개념 빠삭** **직육면체의 전개도**

직육면체의 전개도: 직육면체의 모서리를 잘라서 펼친 그림

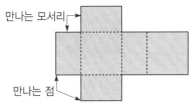

만나는 모서리 →

만나는 점 →

(1) 잘린 모서리는 실선으로, 잘리지 않는 모서리는 ☐ 으로 표시합니다.

(2) 전개도를 접었을 때 서로 평행한 면은 ☐ 쌍입니다.

(3) 전개도를 접었을 때 만나는 모서리의 길이는 같습니다.

8 직육면체의 전개도가 <u>아닌</u> 것의 기호를 써 보세요.

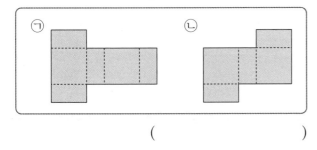

( )

9 왼쪽 직육면체를 펼쳤을 때 오른쪽 전개도에서 색칠한 두 면이 어느 면인지 나머지 한 곳에 색칠해 보세요.

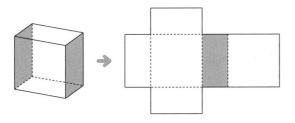

10 직육면체의 전개도를 보고 물음에 답하세요.

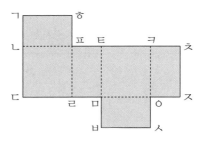

(1) 전개도를 접었을 때 점 ㅂ과 만나는 점을 찾아 써 보세요.

( )

(2) 전개도를 접었을 때 선분 ㅌㅋ과 겹치는 선분을 찾아 써 보세요.

( )

11 직육면체의 전개도를 그린 것입니다. ☐ 안에 알맞은 수를 써넣으세요.

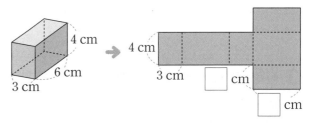

직육면체의 전개도에서 잘린 모서리는 실선으로, 잘리지 않는 모서리는 점선으로 표시해!

12 직육면체의 겨냥도를 보고 전개도를 그려 보세요.

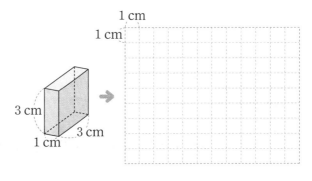

5

직육면체

127

평가 **5단원** 빠삭

1 직육면체를 찾아 기호를 써 보세요.

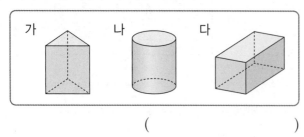

( )

2 직육면체의 각 부분의 이름을 □ 안에 알맞게 써넣으세요.

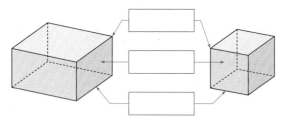

3 직육면체의 겨냥도를 바르게 그린 것을 찾아 기호를 써 보세요.

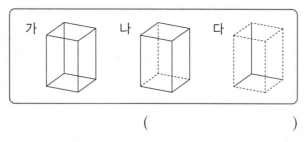

( )

[4~5] 직육면체를 보고 물음에 답하세요.

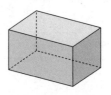

4 직육면체에는 서로 평행한 면이 모두 몇 쌍 있나요?

( )

5 직육면체에서 한 면과 수직으로 만나는 면은 모두 몇 개인가요?

( )

6 직육면체에서 색칠한 면과 평행한 면을 찾아 색칠해 보세요.

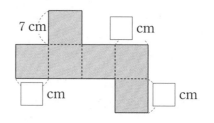

7 정육면체의 전개도입니다. □ 안에 알맞은 수를 써넣으세요.

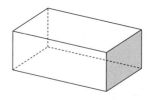

정육면체는 모든 모서리의 길이가 같아.

핵심체크

3. 직육면체의 겨냥도는 직육면체 모양을 잘 알 수 있도록 나타낸 그림으로 보이는 모서리는 실선으로, 보이지 않는 모서리는 점선으로 그립니다.

예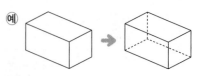

5

직육면체

8 정육면체에서 길이가 같은 모서리는 모두 몇 개인 가요?

(   )

9 빠진 부분을 그려 넣어 직육면체의 겨냥도를 완성해 보세요.

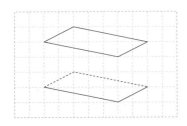

10 직육면체와 정육면체의 면, 모서리, 꼭짓점의 수를 빈칸에 써넣으세요.

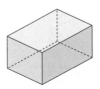

	면의 수(개)	모서리의 수(개)	꼭짓점의 수(개)
직육면체			
정육면체			

11 건우와 수빈이의 대화를 읽고 □ 안에 알맞은 말을 써 보세요.

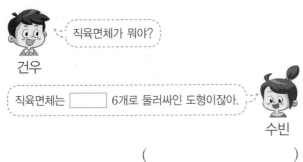

직육면체가 뭐야?

건우

직육면체는 [   ] 6개로 둘러싸인 도형이잖아.

수빈

(   )

12 직육면체의 겨냥도에서 보이지 않는 모서리는 몇 개인가요?

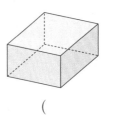

(   )

13 정육면체의 모서리를 잘라서 정육면체의 전개도를 만들었습니다. □ 안에 알맞은 기호를 써넣으세요.

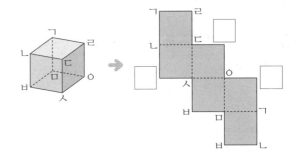

5

직육면체

129

14 직육면체에 대한 설명으로 **틀린** 것을 찾아 기호를 써 보세요.

┌─────────────────────────────┐
│ ㉠ 꼭짓점이 8개입니다. │
│ ㉡ 모서리의 길이가 모두 같습니다. │
│ ㉢ 직사각형 모양의 면으로 둘러싸여 있습 │
│   니다. │
└─────────────────────────────┘

(   )

핵심체크

12. 직육면체를 여러 방향에서 보았을 때 보이는 모서리와 보이지 않는 모서리가 있습니다.

 ㉖ ┌ 보이는 모서리: 9개
                └ 보이지 않는 모서리: 3개

정답 및 풀이 25쪽

[15~16] 직육면체의 전개도를 보고 물음에 답하세요.

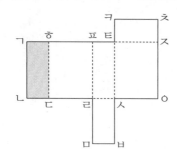

15 전개도를 접었을 때 색칠한 면과 수직인 면을 모두 찾아 써 보세요.

(   )

16 전개도를 접었을 때 선분 ㅅㅂ과 겹치는 선분을 찾아 써 보세요.

(   )

17 지은이의 일기를 읽고 지은이가 만든 상자의 모양은 어느 것인지 기호를 써 보세요.

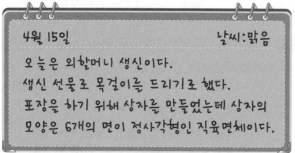

4월 15일   날씨:맑음

오늘은 외할머니 생신이다.
생신 선물로 목걸이를 드리기로 했다.
포장을 하기 위해 상자를 만들었는데 상자의
모양은 6개의 면이 정사각형인 직육면체이다.

가   나   다

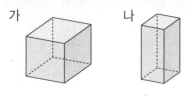 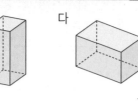

(   )

18 직육면체를 보고 전개도를 완성해 보세요.

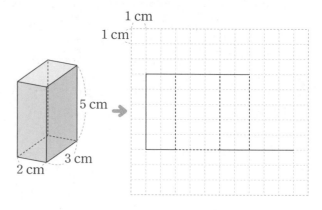

19 정육면체의 모든 모서리의 길이의 합은 몇 cm인가요?

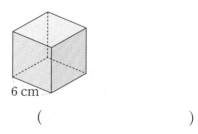

(   )

20 주사위의 마주 보는 면의 눈의 수의 합은 7입니다. 정육면체 전개도의 빈 곳에 주사위의 눈을 알맞게 그려 넣으세요.

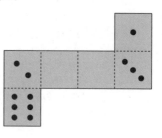

5

직육면체

130

핵심체크

19. 정육면체는 길이가 같은 모서리가 12개 있습니다.
➡ (정육면체의 모든 모서리의 길이의 합)
    =(한 모서리의 길이)×12

예

(정육면체의 모든 모서리의 길이의 합)
=3×12=36 (cm)

6 평균과 가능성

문제 생성기 QR 코드를 찍어 보세요.
단원 대표 문제를 풀 수 있어요.

개념 원리

❋ **평균 알아보기**

1. 각 칸당 있는 구슬 수 정하기

구슬 1개를 아래로 옮겨!

➜ 각 칸의 구슬 수 5, 3, 4를 고르게 하면 각 칸당 구슬 수 가 4, 4, 4이므로 ❶[ ]를 대표하는 값으로 정합니다.

2. 두 모둠의 고리 던지기 기록을 비교하기

성하네 모둠

이름	건 고리의 수(개)
성하	3
재인	5
민혁	6
우준	6

태호네 모둠

이름	건 고리의 수(개)
태호	6
민경	7
준하	5

⑴ 성하네 모둠: 4명, 태호네 모둠: ❷[ ]명

⑵ 성하네 모둠이 건 고리: 3＋5＋6＋6＝20(개)

    태호네 모둠이 건 고리: 6＋7＋❸[ ]＝18(개)

 20개＞18개니까 성하네 모둠이 더 잘한 거야.

 음……. 성하네 모둠의 인원 수(4명)와 태호네 모둠의 인원 수(3명)가 달라 대표하는 값을 구해야 할 것 같아.

성하네 모둠이 20÷4＝5(개), 태호네 모둠이 18÷3＝6(개) 이므로 태호네 모둠이 더 잘했다고 볼 수 있습니다.

> 성하네 모둠이 건 고리의 기록인 3, 5, 6, 6을 모두 더해 자료의 수 4로 나눈 수 5는 성하네 모둠의 고리 던지기 기록을 대표하는 값으로 정할 수 있습니다. 이 값을 평균이라고 합니다.

개념 체크

1 알맞은 말에 ○표 하세요.

> 각 자료의 값을 모두 더하여 자료 의 수로 나눈 수를 (합계, 평균) (이)라고 합니다.

[2~3] 2, 4, 3의 평균을 알아보려고 합니 다. □ 안에 알맞은 수를 써넣으세요.

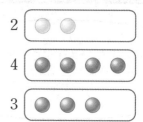

2 각 칸에 있는 구슬 수를 같게 하려면 초 록색 구슬 [ ]개를 위쪽으로 옮깁니다.

➜ 2, 4, 3의 평균: [ ]

3 (자료의 값을 모두 더한 수)

  ＝2＋4＋3＝[ ]

(자료의 수)＝[ ]

➜ 2, 4, 3의 평균: [ ]

4 네 수의 평균을 구해 보세요.

7	8	3	6

자료의 값을 모두 더한 수: [ ]

자료의 수: [ ]

평균: [ ]

정답 ❶4 ❷3 ❸5

[1~4] 승우네 모둠과 서연이네 모둠의 제기차기 기록을 나타낸 표입니다. 물음에 답하세요.

승우네 모둠의 제기차기 기록

이름	제기차기 기록(개)
승우	2
수연	2
민정	3
승훈	5

서연이네 모둠의 제기차기 기록

이름	제기차기 기록(개)
서연	5
재호	4
진영	3

1 승우네 모둠과 서연이네 모둠은 각각 몇 명인가요?

승우네 모둠 ( )명, 서연이네 모둠 ( )명

승우네 모둠과 서연이네 모둠의 학생 수가 서로 다르네.

2 승우네 모둠과 서연이네 모둠의 제기차기 기록의 합은 각각 몇 개인지 구해 보세요.

승우네 모둠 ( )개, 서연이네 모둠 ( )개

3 승우네 모둠과 서연이네 모둠의 제기차기 기록의 평균은 각각 몇 개인지 구해 보세요.

승우네 모둠 ( )개, 서연이네 모둠 ( )개

4 어느 모둠이 더 잘했다고 볼 수 있나요?

( ) 모둠

5 지연이네 학교 5학년 학급별 학생 수는 22명, 25명, 23명, 26명입니다. 한 학급당 학생 수를 대표하는 값으로 정하는 올바른 방법에 ○표 하세요.

방법	○표
각 학급의 학생 수 22, 25, 23, 26 중 가장 큰 수인 26으로 정합니다.	
각 학급의 학생 수 22, 25, 23, 26 중 가장 작은 수인 22로 정합니다.	
각 학급의 학생 수 22, 25, 23, 26을 고르게 하면 24, 24, 24, 24가 되므로 24로 정합니다.	

6

평균과 가능성

135

개념 원리

❶ **평균을 구하는 방법을 이해하고, 평균 구하기**

• 종이띠로 평균 구하기

8개 ⬜⬜⬜⬜⬜⬜⬜⬜
5개 ⬜⬜⬜⬜⬜
9개 ⬜⬜⬜⬜⬜⬜⬜⬜⬜
6개 ⬜⬜⬜⬜⬜⬜

4개의 종이띠를 겹치지 않게 이어 봅니다.

반으로 접어 봅니다.

다시 반으로 접어 4등분이 되도록 합니다.

➔ (평균)=(8+5+9+6)÷4

=28÷4=❶[ ](개)

(평균)=(자료의 값을 모두 더한 수)÷(자료의 수)

❷ **여러 가지 방법으로 평균 구하기**

• 턱걸이 기록의 평균 구하기

턱걸이 기록

회	1회	2회	3회	4회
기록(번)	4	5	2	1

방법 1 예상한 평균을 기준으로 ○표를 옮겨 평균 구하기

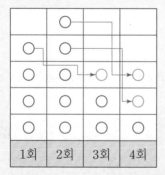

| 1회 | 2회 | 3회 | 4회 |

➔ 평균을 3번으로 예상한 후 (4, 2), (5, 1)로 수를 짝 지어 ○표를 옮겨 자료의 값을 고르게 하여 구한 턱걸이 기록의 평균은 ❷[ ]번입니다.

방법 2 기록의 합계를 턱걸이 한 횟수로 나누어 평균 구하기

(평균)=(4+5+2+1)÷4=12÷4=❸[ ](번)

개념 체크

1 모형을 이용하여 네 수의 평균을 구하려고 합니다. 물음에 답하세요.

9, 9, 13, 9

(1) 모형을 옮겨 모형의 수를 고르게 하려고 합니다. 옮기는 화살표(→)로 표시해 보세요.

(2) 네 수의 평균은 얼마인가요?

(평균)=[ ]

2 두 종이테이프 길이의 평균은 몇 cm인지 구하려고 합니다. □ 안에 알맞은 수를 써넣으세요.

5 cm ⬜ 1 2 3 4
3 cm ⬜ 1 2

(1) 두 종이테이프를 겹치지 않게 이은 전체 길이: 5+3=[ ](cm)

(2) 두 종이테이프의 길이의 평균:
[ ]÷2=[ ](cm)

3 소라네 모둠의 고리 던지기 기록을 나타낸 표입니다. 건 고리 수의 평균을 구해 보세요.

소라네 모둠의 고리 던지기 기록

이름	소라	정우	희연
건 고리의 수(개)	1	4	4

(1+4+4)÷3=[ ]÷3=[ ](개)

[1~2] 성연이의 턱걸이 기록을 나타낸 표입니다. 성연이의 턱걸이 기록의 평균을 구해 보세요.

성연이의 턱걸이 기록

회	1회	2회	3회	4회
기록(번)	8	7	4	5

1 모형을 이용하여 알아보세요.

(평균)= ☐ 번

2 종이띠를 이용하여 알아보세요.

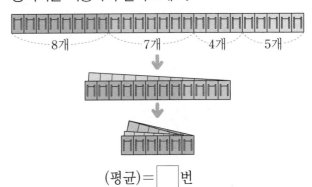

(평균)= ☐ 번

3 현민이가 투호에 넣은 화살 수를 나타낸 표입니다. 현민이가 투호에 넣은 화살 수의 평균을 여러 가지 방법으로 구해 보세요.

현민이가 넣은 화살 수

회	1회	2회	3회	4회
넣은 화살 수(개)	4	1	5	2

방법 1 예상한 평균을 기준으로 ○표를 옮겨 평균 구하기

예상한 평균: ☐ 개

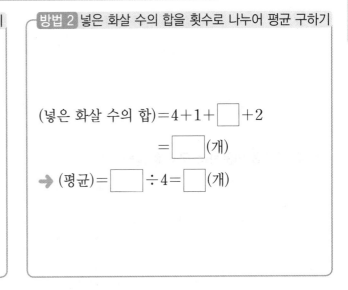

➡ (평균)= ☐ 개

방법 2 넣은 화살 수의 합을 횟수로 나누어 평균 구하기

(넣은 화살 수의 합)=4+1+☐+2

=☐(개)

➡ (평균)= ☐ ÷4= ☐ (개)

[4~5] 자료의 값을 모두 더한 수를 이용하여 평균을 구하려고 합니다. ☐ 안에 알맞은 수를 써넣으세요.

4   32, 35, 32

(평균)=(☐+35+☐)÷☐

=☐÷☐=☐

5   25, 24, 25, 26

(평균)=(25+24+25+☐)÷☐

=☐÷☐=☐

개념 원리

❶ 평균 비교하기

• 두 사람의 과녁 맞히기 기록을 비교하기

현우의 과녁 맞히기 기록	
회	점수(점)
1회	6
2회	8
3회	7
4회	7

서연이의 과녁 맞히기 기록	
회	점수(점)
1회	5
2회	5
3회	8

(1) (현우의 과녁 맞히기 기록의 평균)=(6+8+7+7)÷4
=28÷❶□=7(점)

(2) (서연이의 과녁 맞히기 기록의 평균)
=(5+5+❷□)÷3=18÷3=6(점)

(3) 과녁 맞히기 기록의 평균을 비교하면 7점>6점이므로 현우가 서연이보다 더 잘했습니다.

 재석

> 나도 과녁 맞히기 대회에 참가했어. 내 기록은……

재석이의 과녁 맞히기 기록			
회	1회	2회	3회
점수(점)	7	6	5

> 기록의 평균이 (7+6+5)÷3=6(점)으로 서연이와 같네.
지우

❷ 평균을 이용하여 문제 해결하기

• 평균이 13번일 때 4회의 기록 구하기

단체 줄넘기 기록				
회	1회	2회	3회	4회
단체 줄넘기 기록(번)	14	18	3	?

(1) 단체 줄넘기 기록의 합: 1회 평균 13번씩 4회를 했으므로 모두 13×4=52(번) 했습니다.

(2) (4회의 줄넘기 기록)=❸□−(14+18+3)=17(번)

> 자료 ▲개의 평균이 ■이면
> (자료의 값을 모두 더한 수)=■×▲!

개념 체크

[1~3] 준하네 모둠과 지민이네 모둠의 오래 매달리기 기록을 나타낸 표입니다. □ 안에 알맞은 수나 말을 써넣으세요.

준하네 모둠	
이름	기록(초)
준하	10
지훈	9
서현	8

지민이네 모둠	
이름	기록(초)
지민	7
예준	8
수빈	9
도현	8

1 준하네 모둠의 오래 매달리기 기록의 평균을 구해 보세요.

(10+9+□)÷3=□÷3
=□(초)

2 지민이네 모둠의 오래 매달리기 기록의 평균을 구해 보세요.

(7+8+□+8)÷4=□÷4
=□(초)

3 평균이 더 높은 모둠은 □(이)네 모둠입니다.

4 두 수의 평균이 34일 때 □ 안에 알맞은 수를 써넣으세요.

> 29, ♥

(자료의 값을 모두 더한 수)
=34×2=□

➔ ♥=□−29=□

[1~4] 건우네 모둠과 민서네 모둠의 100 m 달리기 기록을 나타낸 표입니다. 두 모둠의 100 m 달리기 기록의 평균이 같을 때 예은이의 기록을 알아보세요.

건우네 모둠의 100 m 달리기 기록

이름	기록(초)
건우	19
예은	18
준서	23

민서네 모둠의 100 m 달리기 기록

이름	기록(초)
민서	21
예은	
예준	18
우진	17

1 건우네 모둠의 100 m 달리기 기록의 평균을 구해 보세요.

(기록의 평균)＝(19＋□＋□)÷3

＝□÷□＝□(초)

건우네 모둠과 민서네 모둠의 100 m 달리기 기록의 평균이 같아.

2 민서네 모둠의 100 m 달리기 기록의 평균을 구해 보세요.

( )초

3 민서네 모둠의 100 m 달리기 기록의 합은 몇 초인가요?

( )초

4 예은이의 100 m 달리기 기록은 몇 초인가요?

( )초

6

평균과 가능성

139

[5~6] 평균을 이용하여 자료의 값을 구하려고 합니다. □ 안에 알맞은 수를 써넣으세요.

5 세 수의 평균이 5일 때 ㉠을 구해 보세요.

6, 2, ㉠

(자료의 값을 모두 더한 수)＝5×3＝□

➡ ㉠＝□－(6＋2)＝□

6 네 수의 평균이 12일 때 ㉡을 구해 보세요.

9, 13, ㉡, 13

(자료의 값을 모두 더한 수)＝12×4＝□

➡ ㉡＝□－(9＋13＋13)＝□

1 개념 빠삭 평균 알아보기

⬜ : 각 자료의 값을 모두 더한 수를 자료의 수로 나눈 수

➡ 평균을 그 자료를 대표하는 값으로 정하면 편리합니다.

5 개념 빠삭 평균 구하기

$$(\text{평균}) = (\text{자료의 값을 모두 더한 수}) \div (\ \ \ \ \ )$$

• 9, 13, 8, 6의 평균 구하기
• ➡ (평균) = (9+13+8+6) ÷ 4
  = ⬜ ÷ 4 = ⬜

[2~4] 소진이가 친구들과 공 던지기를 하려고 합니다. 공정한 경기가 되려면 어떻게 해야 하는지 알아보세요.

소진   진영   혜림

2 알맞은 말에 ◯표 하세요.

 소진이는 공 5개, 진영이는 공 3개를 던지면 공정한 경기가 될 수 (있어, 없어).

[6~7] 어느 달의 날짜별 미술관의 입장객 수를 나타낸 표입니다. 물음에 답하세요.

날짜별 미술관의 입장객 수

날짜	10일	11일	12일	13일
입장객 수(명)	20	20	18	14

6 어느 달의 날짜별 미술관의 입장객 수를 막대그래프로 나타낸 것입니다. 막대의 높이를 고르게 해 보세요.

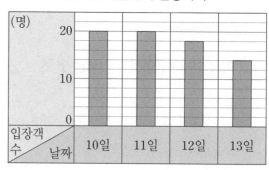

3 3명이 가지고 있는 공은 모두 **몇** 개인가요?

꼭 단위까지 따라 쓰세요.

(개)

4 공을 3명이 똑같이 나누어 가지면 한 명이 **몇** 개씩 가지게 되나요?

(개)

7 미술관의 입장객 수는 하루 평균 **몇** 명인가요?

(명)

[8~9] 준호네 모둠의 팔 굽혀 펴기 기록을 나타낸 표입니다. 준호네 모둠의 팔 굽혀 펴기 기록의 평균을 2가지 방법으로 구해 보세요.

준호네 모둠의 팔 굽혀 펴기 기록

이름	준호	태경	우준	형은
기록(번)	10	13	12	9

8 예상한 평균을 기준으로 수를 고르게 하여 구하려고 합니다. □ 안에 알맞은 수를 써넣으세요.

> 평균을 11번으로 예상한 후 (10, ☐), (13, ☐)로 수를 옮기고 짝 지어 자료의 값을 고르게 하여 구한 기록의 평균은 ☐ 번 입니다.

9 자료의 값을 모두 더해 자료의 수로 나누어 평균을 구해 보세요.

(평균) = ☐ ÷ ☐ = ☐ (번)

[10~11] 지우네 학교 5학년 반별 학생 수를 나타낸 표입니다. 물음에 답하세요.

반별 학생 수

반	1반	2반	3반	4반	5반
학생 수(명)	32	29	33	28	23

10 5학년 전체 학생 수와 반별 학생 수의 평균은 각각 몇 명인가요?

꼭 단위까지 따라 쓰세요.

전체 학생 수 (명   )

평균 (명   )

11 학생 수가 평균과 같은 반은 몇 반인가요?

(반   )

12 **개념 빠삭** 평균을 이용하여 문제 해결하기

- 세 수의 평균이 34일 때 ★ 구하기

28, 41, ★

(1) (자료의 값을 모두 더한 수)
= 34 × ☐ = 102

(2) ★ = 102 − (28 + 41) = ☐

> (자료 값을 모두 더한 수)
> = (평균) × (자료의 수)

[13~15] 태연이가 접은 종이학의 수를 나타낸 표입니다. 태연이가 종이학을 하루 평균 14마리 접었을 때 물음에 답하세요.

접은 종이학의 수

요일	월	화	수	목
수(마리)	12	16	11	?

13 월요일부터 수요일까지 접은 종이학은 모두 몇 마리인가요?

(마리   )

14 4일 동안 접은 종이학은 모두 몇 마리인가요?

(마리   )

15 목요일에 접은 종이학은 몇 마리인가요?

(마리   )

개념 원리

① 가능성 알아보기

날짜	오늘		내일		모레	
	오전	오후	오전	오후	오전	오후
날씨						

 날씨가 맑고 화창하다는 뜻입니다.

 구름이 있지만 해가 보이고 비나 눈이 오지 않는다는 뜻입니다.

 구름이 많아 해가 보이지 않고 비나 눈이 오지 않는다는 뜻입니다.

 비가 온다는 뜻입니다.

> 일기 예보를 보고 비가 올 가능성을 알아보자.

(1) 오늘 비가 올 가능성 이야기해 보기
→ 오늘 오전에는 맑고 오후에는 구름이 많아 해가 보이지 않지만 비가 오지는 않을 것 같습니다.

(2) 내일 오전에 비가 올 가능성 이야기해 보기
→ 내일 오전에는 비가 올 것 같습니다.

• 가능성: 어떠한 상황에서 특정한 일이 일어나길 기대할 수 있는 정도

② 일이 일어날 가능성을 말로 표현하기

 주사위를 굴리면 주사위 눈의 수가 7이 나올 수 있을까?

> 주사위의 눈의 수는 1부터 6까지 있으니까 7이 나오는 것은 불가능해.

가능성 일	불가능 하다	~아닐 것 같다	반반 이다	~일 것 같다	확실 하다
주사위를 굴리면 주사위 눈의 수가 7이 나올 것입니다.	○				
동전을 던지면 그림면이 나올 것입니다.			○		
계산기에 '10+2='을 누르면 12가 나올 것입니다.					○

개념 체크

[1~2] 일기 예보를 보고 물음에 답하세요.

날짜	오늘	내일	
	오후	오전	오후
날씨			

1 알맞은 그림에 ○표 하세요.

오늘 오후의 날씨는
(,)이므로 비가 오지는 않을 것 같습니다.

2 일기 예보를 보고 내일 오후에 비가 올 가능성을 바르게 이야기한 곳에 ○표 하세요.

내일 오후에는 비가 올 것입니다.

( )

내일 오후에는 비가 오지 않을 것입니다.

( )

3 일이 일어날 가능성을 생각해 보고, 알맞게 표현한 곳에 ○표 하세요.

가능성 일	불가능 하다	반반 이다	확실 하다
비둘기의 날개를 세어 보면 2개일 것입니다.			

[1~3] 민정이가 사는 지역의 일기 예보입니다. 일기 예보를 보고 비가 올 가능성을 이야기하려고 합니다. 알맞은 그림이나 말에 ○표 하세요.

날짜	오늘		내일		모레	
	오전	오후	오전	오후	오전	오후
날씨	☀️	☀️	🌤️	☁️	🌧️☂️	🌧️☂️

1 오늘 오후의 날씨는 (☀️ , ☂️)이므로 비가 (올 것, 오지 않을 것) 같습니다.

2 내일은 하루 종일 구름이 (있고, 없고), 비가 (올 것, 오지 않을 것) 같습니다.

내일 오전과 오후의 날씨를 살펴 봐.

3 모레 오전에는 비가 올 가능성이 (있습니다, 없습니다).

6

평균과 가능성

143

[4~5] 일이 일어날 가능성을 생각해 보고, 알맞게 표현한 곳에 ○표 하세요.

4

가능성 \ 일	불가능하다	반반이다	확실하다
올해 겨울에는 서울의 기온이 30 ℃보다 높은 날이 있을 것입니다.			

5

가능성 \ 일	불가능하다	반반이다	확실하다
진우는 같은 날 태어난 쌍둥이입니다. 진우네 가족 중에 생일이 같은 사람이 있을 것입니다.			

[6~7] 일이 일어날 가능성을 생각해 보고, 알맞게 표현한 곳에 ○표 하세요.

6 동전을 던지면 그림 면이 나올 것입니다.

불가능하다	~아닐 것 같다	반반이다	~일 것 같다	확실하다

7 계산기로 '0 + 0 = '을 누르면 1이 나올 것입니다.

불가능하다	~아닐 것 같다	반반이다	~일 것 같다	확실하다

개념 원리

❶ 일이 일어날 가능성을 해당하는 위치에 나타내기

준하
집 근처에 나무가 있을 거야.

나는 물 속에서 숨을 쉴 수 있을 거야.
민서

현우
내일은 오늘과 기온이 비슷할 거야.

오늘 나는 길에서 곰을 만날 거야.
지우

오늘은 금요일이니까 내일은 토요일이야.
윤서

← 일이 일어날 가능성이 낮습니다.　일이 일어날 가능성이 높습니다. →

~아닐 것 같다 ↳ 지우	~일 것 같다 ↳ 준하

불가능하다　　　　반반이다　　　　확실하다
↓　　　　　　　　↓　　　　　　　　↓
민서　　　　　　　현우　　　　　　　❶

❷ 일이 일어날 가능성 비교하기

: 화살이 빨간색에 멈추는 것이 불가능합니다.

: 화살이 파란색에 멈출 가능성이 더 높습니다.

: 화살이 빨간색에 멈출 가능성과 파란색에 멈출 가능성이 비슷합니다.

: 화살이 ❷ 　　　　　　에 멈출 가능성이 더 높습니다.

: 화살이 ❸ 　　　　　　에 멈추는 것이 불가능합니다.

개념 체크

1 회전판을 돌렸을 때 화살이 초록색에 멈출 가능성을 찾아 기호를 써 보세요.

> ㉠ 불가능하다
> ㉡ 반반이다
> ㉢ 확실하다

(1)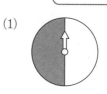

(　　　　　)

(2)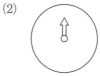

(　　　　　)

(3)

(　　　　　)

2 회전판을 보고 알맞은 말에 ○표 하세요.

(1)

화살이 (노란색 , 초록색)에 멈출 가능성이 더 높습니다.

(2)

화살이 (노란색 , 초록색)에 멈출 가능성이 더 높습니다.

정답 ❶ 윤서　❷ 빨간색　❸ 파란색

[1~3] 일이 일어날 가능성을 생각해 보고, 알맞게 표현한 곳의 기호를 쓰세요.

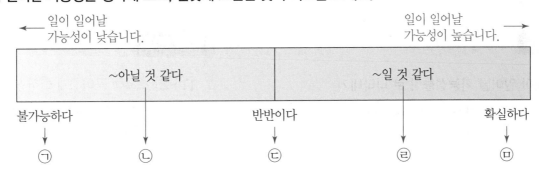

← 일이 일어날
가능성이 낮습니다.

일이 일어날 →
가능성이 높습니다.

| ~아닐 것 같다 | ~일 것 같다 |

불가능하다   반반이다   확실하다

㉠   ㉡   ㉢   ㉣   ㉤

1 곰은 하늘을 날 수 있을 것입니다.   (   )

2 오후 1시에서 2시간 후에는 오후 3시가 될 것입니다.   (   )

3 1부터 100까지의 번호표 중 1장을 뽑으면 번호가 짝수일 것입니다.   (   )

[4~6] 빨간색, 파란색, 노란색으로 이루어진 회전판이 있습니다. 설명에 알맞은 회전판을 찾아 기호를 쓰세요.

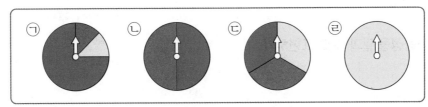

4 화살이 빨간색에 멈추는 것이 불가능한 회전판입니다.   (   )

5 화살이 빨간색에 멈출 가능성이 반반인 회전판입니다.   (   )

6 화살이 빨간색에 멈출 가능성이 가장 높은 회전판입니다.   (   )

개념 원리

1 일이 일어날 가능성을 ↓로 나타내기

• 검은색 공과 흰색 공이 각각 1개씩 들어 있는 상자에서 공 1개를 꺼냈습니다.

가능성을 0부터 1까지의 수로 표현할 수 있어.

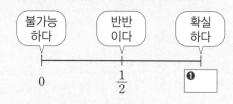

불가능
하다   반반
이다   확실
하다

0          $\frac{1}{2}$ ❶

(1) 꺼낸 공이 파란색일 가능성:

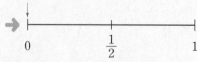

0          $\frac{1}{2}$ 1

(2) 꺼낸 공이 흰색일 가능성:

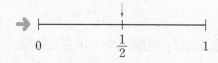

0          $\frac{1}{2}$ 1

2 일이 일어날 가능성을 말과 수로 표현하기

• 검은색 공과 흰색 공이 각각 2개씩 들어 있는 상자에서 공 1개를 꺼냈습니다.

(1) 꺼낸 공이 노란색일 가능성: 불가능하다 ➡ ❷

(2) 꺼낸 공이 검은색일 가능성: 반반이다 ➡ $\frac{1}{2}$

(3) 꺼낸 공이 흰색일 가능성: 반반이다 ➡ $\frac{1}{❸}$

꺼낸 공이 검은색일 가능성과 흰색일 가능성은 같네.

개념 체크

[1~2] 초록색 공이 2개 들어 있는 주머니에서 공을 1개 꺼냈습니다. 그림을 보고 □ 안에 알맞은 기호를 써넣으세요.

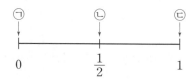

㉠   ㉡   ㉢

0          $\frac{1}{2}$ 1

1 꺼낸 공이 빨간색일 가능성을 나타낸 것은 □입니다.

2 꺼낸 공이 초록색일 가능성을 나타낸 것은 □입니다.

[3~4] 주머니에 초록색 공 1개와 빨간색 공 1개가 들어 있습니다. 주머니에서 공 1개를 꺼낼 때 알맞은 말이나 수에 ○표 하세요.

3 꺼낸 공이 초록색일 가능성을 말로 표현하면 (확실하다 , 반반이다)입니다.

4 꺼낸 공이 초록색일 가능성을 수로 표현하면 ($\frac{1}{2}$, 1)입니다.

정답 ❶1 ❷0 ❸2

[1~2] 오른쪽과 같이 흰색 바둑돌이 2개 들어 있는 상자에서 바둑돌 1개를 꺼냈습니다. 물음에 답하세요.

1 꺼낸 바둑돌이 흰색일 가능성을 ↓로 나타내어 보세요.

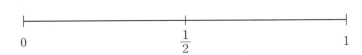

2 꺼낸 바둑돌이 검은색일 가능성을 ↓로 나타내어 보세요.

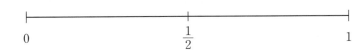

[3~4] 오른쪽과 같이 검은색 바둑돌이 2개 들어 있는 상자에서 바둑돌 1개를 꺼냈습니다. ☐ 안에 알맞은 수를 써넣으세요.

3 꺼낸 바둑돌이 흰색일 가능성을 0부터 1까지의 수 중에서 표현하면 ☐입니다.

4 꺼낸 바둑돌이 검은색일 가능성을 0부터 1까지의 수 중에서 표현하면 ☐입니다.

[5~6] 야구공과 테니스공이 각각 1개씩 들어 있는 상자에서 공 1개를 꺼냈습니다. 꺼낸 공의 가능성을 말과 0부터 1까지의 수로 표현하려고 합니다. 알맞게 표현한 것에 ○표 하고 ☐ 안에 알맞은 수를 써넣으세요.

5 꺼낸 공이 야구공일 가능성을 말로 표현하면 (불가능하다 , 반반이다 , 확실하다)이고,

수로 표현하면 $\dfrac{1}{\Box}$입니다.

2개 중의 1개가 야구공이므로 공 1개를 꺼낼 때 야구공일 가능성은 $\dfrac{1}{2}$!

6 꺼낸 공이 테니스공일 가능성을 말로 표현하면 (불가능하다 , 반반이다 , 확실하다)이고,

수로 표현하면 $\dfrac{\Box}{\Box}$입니다.

1 | 개념 빠삭 | 일이 일어날 가능성을 말로 표현하기

- 7월 우리나라에 눈이 올 가능성
  ➡ 7월에는 기온이 높으므로 눈이 올 가능성은 (확실하다 , 불가능하다)입니다.

2 일이 일어날 가능성이 확실한 것을 찾아 기호를 써보세요.

　㉠ 일주일 안에 비가 올 가능성
　㉡ 흰색 공만 들어 있는 주머니에서 공을 1개 꺼낼 때 꺼낸 공이 흰색일 가능성

　　　　　　　(　　　　　　　)

3 일이 일어날 가능성을 생각해 보고, 알맞게 표현한 것에 선으로 이어 보세요.

동전을 던질 때 숫자면이 나올 가능성	내일 해가 서쪽에서 뜰 가능성
•	•

•	•	•
확실하다	반반이다	불가능하다

4 지훈이가 말한 일이 일어날 가능성을 생각해 보고, 알맞게 표현한 곳에 ○표 하세요.

오늘은 12월 31일이니까 내일은 12월 32일이 될 거야.

지훈

불가능하다	~아닐 것 같다	반반이다	~일 것 같다	확실하다

5 | 개념 빠삭 | 일이 일어날 가능성을 비교하기

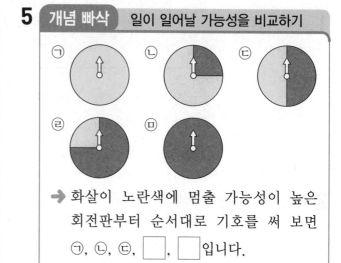

➡ 화살이 노란색에 멈출 가능성이 높은 회전판부터 순서대로 기호를 써 보면 ㉠, ㉡, ㉢, ☐, ☐입니다.

[6~8] 일이 일어날 가능성을 비교해 보세요.

　㉠ 올해 12살이므로 내년에는 13살이 될 것입니다.
　㉡ 오늘 저녁에 해가 동쪽으로 질 것입니다.
　㉢ 내일은 오늘보다 기온이 오를 것입니다.

6 일이 일어날 가능성이 '반반이다'인 경우를 찾아 기호를 써 보세요.

　　　　　　　(　　　　　　　)

7 일이 일어날 가능성이 '불가능하다'인 경우를 찾아 기호를 써 보세요.

　　　　　　　(　　　　　　　)

8 일이 일어날 가능성이 높은 순서대로 기호를 써 보세요.

　　　　　　　(　　　　　　　)

9 주황색, 연두색, 보라색으로 이루어진 회전판입니다. 화살이 보라색에 멈출 가능성이 가장 낮은 회전판은 어느 것인가요? ·························· (   )

① ② ③
④ ⑤

10 조건 에 알맞은 회전판이 되도록 색칠해 보세요.

┌─ 조건 ─────────────────────────┐
│ • 화살이 노란색에 멈출 가능성이 가장 높습 │
│   니다. │
│ • 화살이 빨간색에 멈출 가능성은 파란색에 │
│   멈출 가능성의 2배입니다. │
└────────────────────────────────┘

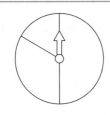

11 **개념 빠삭** 일이 일어날 가능성을 수로 표현하기

┌────────────────────────────────┐
│ • 일이 일어날 가능성 │
│   │
│ 불가능하다   반반이다   확실하다 │
│ ├──────────┼──────────┤ │
│ 0   □   □ │
│   ──   │
│   2   │
└────────────────────────────────┘

12 오른쪽 그림과 같이 분홍색으로 이루어진 회전판에 화살을 1개 던질 때 던진 화살이 분홍색을 맞힐 가능성을 나타내려고 합니다. 물음에 답하세요.

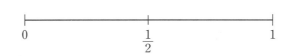

(1) 일이 일어날 가능성이 '불가능하다'이면 0, '반반이다'이면 $\frac{1}{2}$, '확실하다'이면 1로 표현할 때 분홍색을 맞힐 가능성을 수로 표현해 보세요.

(   )

(2) 위 (1)에서 답한 가능성을 ↓로 나타내어 보세요.

├──────────┼──────────┤
0          $\frac{1}{2}$ 1

[13~14] 당첨 제비만 3개 들어 있는 제비뽑기 상자에서 제비 1개를 뽑았습니다. 물음에 답하세요.

13 뽑은 제비가 당첨 제비일 가능성을 말로 표현해 보세요.

(   )

14 뽑은 제비가 당첨 제비가 <u>아닐</u> 가능성을 수로 표현해 보세요.

(   )

15 예은이가 구슬 4개가 들어 있는 주머니에서 손에 잡히는 대로 구슬을 꺼낼 때 꺼낸 구슬의 개수가 짝수일 가능성을 말과 수로 표현해 보세요.

말 (   )
수 (   )

6

평균과 가능성

149

[1~2] 세 수의 평균을 구하려고 합니다. □ 안에 알맞은 수를 써넣으세요.

> 20, 47, 32

1 자료의 값을 모두 더한 수를 구해 보세요.

(자료의 값을 모두 더한 수)=20+47+□

=□

2 세 수의 평균을 구해 보세요.

(평균)=□÷3=□

3 일이 일어날 가능성이 '확실하다'인 것에 ○표 하세요.

주사위 1개를 던질 때 나온 눈의 수가 7보다 작을 가능성	길에서 한 명을 만날 때 만난 사람이 남자 일 가능성
( )	( )

4 건우가 예상한 평균을 기준으로 수를 고르게 하여 네 수의 평균을 구하려고 합니다. □ 안에 알맞은 수를 써넣으세요.

> 15, 17, 13, 15

평균을 15로 예상하자.

건우

(15, □), (17, □)으로 수를 짝 지어 자료의 값을 고르게 하여 구한 네 수의 평균은 □ 입니다.

[5~6] 희준이가 3월부터 6월까지 학교에서 받은 칭찬 도장의 수를 나타낸 표입니다. 물음에 답하세요.

희준이의 칭찬 도장의 수

월	3월	4월	5월	6월
칭찬 도장의 수(개)	2	1	5	4

5 희준이가 받은 칭찬 도장의 수만큼 ○를 그려 나타낸 수를 고르게 해 평균을 구해 보세요.

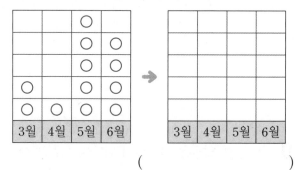

( )

6 희준이가 3월부터 6월까지 받은 칭찬 도장의 수만큼 종이띠로 나타낸 것입니다. 반으로 접고 다시 반으로 접어서 평균을 구하면 몇 개인가요?

( )

7 다음 일이 일어날 가능성을 생각해 보고, 알맞게 표현한 곳에 ○표 하세요.

일	주사위를 던질 때 나온 눈의 수가 홀수일 것입니다.

불가능 하다	~아닐 것 같다	반반 이다	~일 것 같다	확실 하다

핵심체크

2. (평균)=(자료의 값을 모두 더한 수)÷(자료의 수)

예 3, 4, 5의 평균 구하기 ➡ (평균)=(3+4+5)÷3=12÷3=4

8 □ 안에 일이 일어날 가능성의 정도를 보기 에서 골라 써넣으세요.

보기
확실하다, 불가능하다, ~일 것 같다

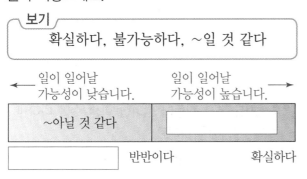

←── 일이 일어날 가능성이 낮습니다.   일이 일어날 가능성이 높습니다. ──→

~아닐 것 같다	

| | 반반이다 | 확실하다 |

9 다음과 같이 노란색 공 1개와 초록색 공 1개가 들어 있는 상자에서 구슬을 1개 꺼낼 때 꺼낸 구슬이 초록색일 가능성을 수로 표현해 보세요.

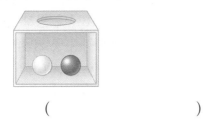

( )

10 지영이네 모둠의 학생들의 수학 점수를 나타낸 표입니다. 수학 점수의 평균을 구해 보세요.

지영이네 모둠의 수학 점수

이름	지영	세화	준혁	민기
점수(점)	92	92	96	92

( )

[11~12] 진영이네 모둠의 학생들의 키를 나타낸 표입니다. 평균 키가 151 cm일 때 물음에 답하세요.

진영이네 모둠의 학생들의 키

이름	진영	소라	진수
키(cm)		147.3	152.7

11 진영이네 모둠의 학생들의 키의 합은 몇 cm인가요?

( )

12 진영이의 키는 몇 cm인가요?

( )

13 분홍색과 파란색으로 이루어진 회전판에 화살을 1개 던질 때 던진 화살이 분홍색을 맞힐 가능성을 오른쪽에 ↓로 나타내어 보세요.

(단, 경계선은 맞히지 않습니다.)

14 100원짜리 동전만 2개 들어 있는 주머니에서 동전 1개를 꺼낼 때 꺼낸 동전이 500원짜리 동전일 가능성을 수로 표현해 보세요.

( )

6

평균과 가능성

151

핵심체크

14. 가능성: 어떠한 상황에서 특정한 일이 일어나길 기대할 수 있는 정도
  ┌ 불가능한 사건의 가능성: 0 ➡ 예 해가 서쪽에서 뜰 가능성: 0
  └ 확실하게 일어나는 사건의 가능성: 1 ➡ 예 해가 동쪽에서 뜰 가능성: 1

15 예은이가 ○× 문제를 풀고 있습니다. ×라고 답했을 때, 정답을 맞혔을 가능성을 말과 수로 표현해 보세요.

예은

말 (   )

수 (   )

16 일이 일어날 가능성이 높은 순서대로 기호를 써 보세요.

> ㉠ 집 앞에서 공룡을 만날 것입니다.
> ㉡ 동전 4개를 동시에 던지면 모두 그림 면이 나올 것입니다.
> ㉢ 병아리의 다리를 세어 보면 2개일 것입니다.

(   )

17 조건에 알맞은 회전판이 되도록 색칠해 보세요.

> 조건
> • 화살이 주황색에 멈출 가능성이 가장 높습니다.
> • 화살이 보라색에 멈출 가능성은 초록색에 멈출 가능성의 반입니다.

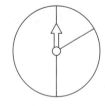

18 영철이가 5일 동안 10 L의 물을 마셨을 때 영철이가 하루에 마신 물은 평균 몇 L인지 구해 보세요.

(   )

[19~20] 봉사 활동에 참여한 학생 수를 나타낸 표입니다. 물음에 답하세요.

2017년 참여 학생 수

학년	4학년	5학년	6학년
학생 수(명)	97	131	102

2018년 참여 학생 수

학년	3학년	4학년	5학년	6학년
학생 수(명)	96	110	97	129

19 2017년과 2018년의 봉사 활동 참여 학생 수는 학년당 평균이 각각 몇 명인가요?

2017년 (   )

2018년 (   )

20 2017년과 2018년 참여 학생 수에 대해 잘못 말한 친구의 이름을 써 보세요.

> 민서: 2017년도는 총 330명, 2018년도는 총 432명이 참여했으므로 한 학년당 참여한 학생 수가 2018년도에 더 많아.
> 우진: 두 연도의 참여 학생 수의 평균을 구해 보면 어느 연도에 한 학년당 참여한 학생 수가 더 많은지 비교할 수 있어.

(   )

핵심체크

16. 일이 일어날 가능성을 '불가능하다', '~아닐 것 같다', '반반이다', '~일 것 같다', '확실하다'로 나타내어 비교합니다.

수학리더[연산]

계산박사

수학리더[개념]

수학리더[기본]

수학의 힘[알파]

수학리더[유형]

수학리더[기본+응용]

수학도 독해가 힘이다

수학의 힘[베타]

수학리더[응용·심화]

수학의 힘[감마]

하

기초
연산서

개념서

유형서

최상위

상

난이도

천재
교육

초등 수학

마스터

특화 교재

월간호

NEW 해법수학

GO! 매쓰 Start/Run/Jump

단원평가

단원평가 마스터

배치고사

예비 중학
신입생 수학

HME 평가

HME
수학 학력평가

#차원이_다른_클라쓰
#강의전문교재
#초등교재

수학교재

●수학리더 시리즈
신간	수학리더 [연산]	예비초~6학년/A·B단계
–	수학리더 [개념]	1~6학년/학기별
–	수학리더 [기본]	1~6학년/학기별
신간	수학리더 [유형]	1~6학년/학기별
신간	수학리더 [기본+응용]	1~6학년/학기별
–	수학리더 [응용·심화]	1~6학년/학기별

●수학도 독해가 힘이다 *문제해결력
1~6학년/학기별

●수학의 힘 시리즈
– 수학의 힘 알파 [실력]	3~6학년/학기별
– 수학의 힘 베타 [유형]	1~6학년/학기별
– 수학의 힘 감마 [최상위]	3~6학년/학기별

●Go! 매쓰 시리즈
– Go! 매쓰(Start) *교과서 개념	1~6학년/학기별
– Go! 매쓰(Run A/B/C) *교과서+사고력	1~6학년/학기별
– Go! 매쓰(Jump) *유형 사고력	1~6학년/학기별

●계산박사
1~12단계

전과목교재

●리더 시리즈
– 국어	1~6학년/학기별
– 사회	3~6학년/학기별
– 과학	3~6학년/학기별

시험 대비교재

●올백 전과목 단원평가
1~6학년/학기별
(1학기는 2~6학년)

●HME 수학 학력평가
1~6학년/상·하반기용

●HME 국어 학력평가
1~6학년

수학리더 개념

해법 ★ 전략

BOOK 3
5-2

리더가 되기 위한
공부 비법

BOOK 1
개념 기본서
개념 + 연산 드릴을
한 권에!

BOOK 2
보충 문제집
익힘책 다지기
+ 서술형 연습

천재교육

해법전략
포인트 ❸가지

▶ 혼자서도 이해할 수 있는 친절한 문제 풀이

▶ 참고, 주의 등 자세한 풀이 제시

▶ 다른 풀이를 제시하여 다양한 방법으로 문제 풀이 가능

정답및풀이

8 ~ 9쪽 | 1단계 개념 빠삭

개념 체크 **1** 이상에 ○표 **2** 이하에 ○표
3 26에 ○표 **4** 40에 ○표
5 (○)( )

개념 집중 연습

1 135, 140에 ○표 **2** 155, 176에 ○표
3 42 **4** 73
5 이상 **6** 이하

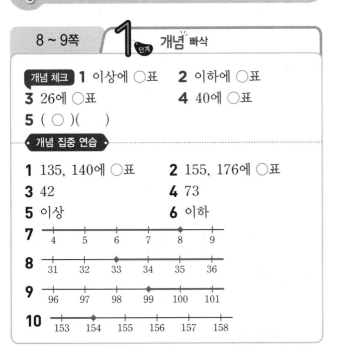

개념 체크

3 26 이상인 수: 26과 같거나 큰 수
4 42 이하인 수: 42와 같거나 작은 수

개념 집중 연습

1 135 이상인 수는 135와 같거나 큰 수입니다.
2 176 이하인 수는 176과 같거나 작은 수입니다.

> **참고**
> ■ 이상인 수에는 ■가 포함되고, ▲ 이하인 수에는
> ▲가 포함됩니다.

3 42와 같거나 큰 수를 나타냅니다.
　➔ 42 이상인 수
4 73과 같거나 작은 수를 나타냅니다.
　➔ 73 이하인 수
5 104와 같거나 큰 수를 나타냅니다.
　➔ 104 이상인 수
6 148과 같거나 작은 수를 나타냅니다.
　➔ 148 이하인 수
7 8에 ●으로 표시하고 왼쪽으로 선을 긋습니다.
8 33에 ●으로 표시하고 오른쪽으로 선을 긋습니다.
9 99에 ●으로 표시하고 오른쪽으로 선을 긋습니다.
10 154에 ●으로 표시하고 왼쪽으로 선을 긋습니다.

10 ~ 11쪽 | 1단계 개념 빠삭

개념 체크 **1** 초과 **2** 미만
3 42에 ○표 **4** 55에 ○표
5 ┊ ┊

개념 집중 연습

1 90, 95에 ○표 **2** 160, 166에 ○표
3 72 **4** 40
5 초과 **6** 미만

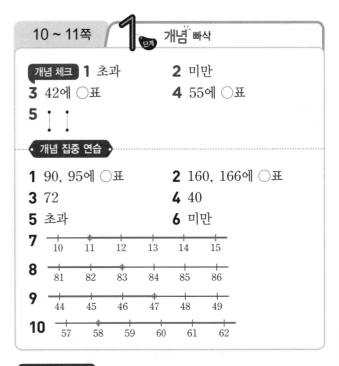

개념 집중 연습

3 72보다 큰 수를 나타냅니다.
　➔ 72 초과인 수
4 40보다 작은 수를 나타냅니다.
　➔ 40 미만인 수
5 18보다 큰 수를 나타냅니다.
　➔ 18 초과인 수
6 22보다 작은 수를 나타냅니다.
　➔ 22 미만인 수
7 11에 ○으로 표시하고 오른쪽으로 선을 긋습니다.
8 83에 ○으로 표시하고 왼쪽으로 선을 긋습니다.
9 47에 ○으로 표시하고 왼쪽으로 선을 긋습니다.
10 58에 ○으로 표시하고 오른쪽으로 선을 긋습니다.

12 ~ 13쪽 | 1단계 개념 빠삭

개념 체크 **1** 밴텀급에 ○표 **2** 34, 36
3 40 kg에 ○표 **4** ( )
　　　　　　　　　　　　　　(○)

개념 집중 연습

1 2000 / 14, 19 **2** 언니
3 ( )(○)
4 25, 26, 27에 ○표 **5** 11, 12에 ○표
6 이상, 미만 **7** 초과, 이하

개념 체크

2 밴텀급의 몸무게 범위는 34 kg 초과 36 kg 이하입니다.

개념 집중 연습

1 오빠의 나이는 16세이므로 입장료는 2000원입니다. 2000원의 나이 범위는 14세 이상 19세 미만입니다.

2 오빠와 같은 나이 범위에 속하는 사람은 언니입니다.

3 14세 이상 19세 미만이므로 수직선에 14 이상인 수는 ●을 이용하여 나타내고, 19 미만인 수는 ○을 이용하여 나타냅니다.

6 46은 포함되고 49는 포함되지 않습니다.
➡ 46 이상 49 미만인 수

7 30은 포함되지 않고 32는 포함됩니다.
➡ 30 초과 32 이하인 수

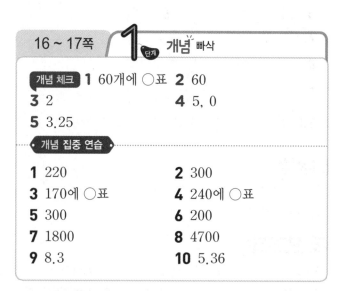

14 ~ 15쪽 **2** 단계 **❶~❸ 익힘책 빠삭**

1 25, 18
2 12, 13, 14, 15에 ○표, 15, 16, 17에 △표
3 현서, 주아, 경석 **4** 23회, 12회, 17회
5
```
  30   31   32   33   34   35
```
6 도현, 은지 **7** 큰, 23
8 48, 50 **9** 보라, 혁진
10 139.5 cm, 142.8 cm **11** 121 미만인 수
12 1반, 4반 **13** 25, 350
14
```
        10        20        30
```
15 재석, 준하

2 15 이하인 수는 15와 같거나 작은 수, 15 이상인 수는 15와 같거나 큰 수입니다.

3 턱걸이 횟수가 23회와 같거나 적은 학생은 현서, 주아, 경석입니다.

4 23 이하인 수는 23과 같거나 작은 수입니다.
23회 이하인 학생의 횟수
➡ 현서: 23회, 주아: 12회, 경석: 17회

5 32에 ●으로 표시하고 오른쪽으로 선을 긋습니다.

6 90 이상인 수는 90과 같거나 큰 수입니다. 수학 점수가 90점과 같거나 90점보다 높은 사람을 찾으면 도현이와 은지입니다.

8 46 초과인 수는 46보다 큰 수입니다.

9 키가 143 cm보다 작은 학생은 보라, 혁진입니다.

10 143 미만인 수는 143보다 작은 수입니다.
143 cm 미만인 학생의 키
➡ 보라: 139.5 cm, 혁진: 142.8 cm

11 121보다 작은 수를 나타냅니다.
➡ 121 미만인 수

12 21 초과인 수는 21보다 큰 수입니다.
학생 수가 21명보다 많은 반은 1반과 4반입니다.

14 성주 점수는 2점이고 횟수 범위는 20회 이상 25회 미만입니다. 수직선에 20 이상인 수는 ●을, 25 미만인 수는 ○을 이용하여 나타냅니다.

15 민서: 69 초과 75 미만인 수에는 69가 포함되지 않습니다.

16 ~ 17쪽 **1** 단계 **개념 빠삭**

개념 체크 **1** 60개에 ○표 **2** 60
3 2 **4** 5, 0
5 3.25

개념 집중 연습

1 220 **2** 300
3 170에 ○표 **4** 240에 ○표
5 300 **6** 200
7 1800 **8** 4700
9 8.3 **10** 5.36

개념 집중 연습

3 168에서 십의 자리 아래 수인 8을 10으로 보고 올림하면 170이 됩니다.

4 234에서 십의 자리 아래 수인 4를 10으로 보고 올림하면 240이 됩니다.

5 255에서 백의 자리 아래 수인 55를 100으로 보고 올림하면 300이 됩니다.

6 109에서 백의 자리 아래 수인 9를 100으로 보고 올림하면 200이 됩니다.

7 1713에서 백의 자리 아래 수인 13을 100으로 보고 올림하면 1800이 됩니다.

8 4672에서 백의 자리 아래 수인 72를 100으로 보고 올림하면 4700이 됩니다.

9 8.26에서 소수 첫째 자리 아래 수를 0.1로 보고 올림하면 8.3이 됩니다.

10 5.351에서 소수 둘째 자리 아래 수를 0.01로 보고 올림하면 5.36이 됩니다.

18 ~ 19쪽 1단계 개념 빠삭

개념 체크
1 40
2 40
3 600에 ○표
4 5.6에 ○표

개념 집중 연습

1 43000, 43000
2 40000, 40000
3 860
4 1740
5 400
6 6100
7 2.8
8 3.71

개념 집중 연습

1 최대 43000원까지는 1000원짜리 지폐로 바꿀 수 있고, 250원은 바꿀 수 없습니다.
   → 43250을 버림하여 천의 자리까지 나타내면 43000입니다.

2 최대 40000원까지는 10000원짜리 지폐로 바꿀 수 있고, 3250원은 바꿀 수 없습니다.
   → 43250을 버림하여 만의 자리까지 나타내면 40000입니다.

3 863에서 십의 자리 아래 수인 3을 0으로 보고 버림하면 860이 됩니다.

4 1742에서 십의 자리 아래 수인 2를 0으로 보고 버림하면 1740이 됩니다.

5 462에서 백의 자리 아래 수인 62를 0으로 보고 버림하면 400이 됩니다.

6 6153에서 백의 자리 아래 수인 53을 0으로 보고 버림하면 6100이 됩니다.

7 2.862에서 소수 첫째 자리 아래 수를 0으로 보고 버림하면 2.8이 됩니다.

8 3.715에서 소수 둘째 자리 아래 수를 0으로 보고 버림하면 3.71이 됩니다.

20 ~ 21쪽 2단계 ④~⑤ 익힘책 빠삭

1 240, 5700
2 770, 800
3 ⑤
4 5.67
5 401에 ○표
6 ㉡
7 >
8 2
9 360, 5400
10 1000
11 850, 800
12 7.7에 색칠
13 ㉢
14 재석
15 (○)( )

---

3 4578에서 천의 자리 아래 수인 578을 1000으로 보고 올림하면 5000이 됩니다.

4 5.663에서 소수 둘째 자리 아래 수를 0.01로 보고 올림하면 5.67이 됩니다.

5 수를 올림하여 십의 자리까지 나타내면 다음과 같습니다.

   420 → 420   419 → 420   401 → 410
           올립니다.   올립니다.

6 ㉠, ㉡, ㉢을 올림하여 백의 자리까지 나타내면 다음과 같습니다.

   ㉠ 7602 → 7700   ㉡ 7599 → 7600
        올립니다.   올립니다.

   ㉢ 7480 → 7500
        올립니다.

7 • 2354를 올림하여 천의 자리까지 나타낸 수: 3000

   • 2831을 올림하여 백의 자리까지 나타낸 수: 2900

   → 3000 > 2900

8 준서의 일기장 비밀번호는 2□49이고 올림하여 백의 자리까지 나타내면 2300이므로 올림하기 전의 수는 22■■입니다.
   따라서 준서의 일기장 비밀번호는 2249입니다.

10 1370에서 천의 자리 아래 수인 370을 0으로 보고 버림하면 1000이 됩니다.

참고
수를 버림하여 ■의 자리까지 나타내기 위해서는 ■의 자리 아래 수를 0으로 보고 버림합니다.

12 7.724에서 소수 첫째 자리 아래 수를 0으로 보고 버림하면 7.7이 됩니다.

13 ㉠ 620을 버림하여 백의 자리까지 나타내면 600입니다.

   ㉡ 4830을 버림하여 백의 자리까지 나타내면 4800입니다.

14 수를 버림하여 백의 자리까지 나타내면 다음과 같습니다.

   서현: 3759 → 3700   재석: 3685 → 3600
           버립니다.   버립니다.

   지우: 3701 → 3700
           버립니다.

15 • 1509를 버림하여 십의 자리까지 나타낸 수: 1500

   • 1496을 버림하여 백의 자리까지 나타낸 수: 1400

   → 1500 > 1400

정답 및 풀이

개념 체크 1 (1) 200에 ○표 (2) 200에 ○표
2 반올림 **3** 100
4 6.4에 ○표

개념 집중 연습

1

260   268   270

2 270, 270
3 5550 **4** 1700
5 6300 **6** 3000
7 7 **8** 1.8
9 6.5 **10** 3.17

개념 집중 연습

3 5552에서 일의 자리 숫자가 2이므로 버림하여 5550이 됩니다.

4 1654에서 십의 자리 숫자가 5이므로 올림하여 1700이 됩니다.

5 6308에서 십의 자리 숫자가 0이므로 버림하여 6300이 됩니다.

6 2716에서 백의 자리 숫자가 7이므로 올림하여 3000이 됩니다.

7 7.313에서 소수 첫째 자리 숫자가 3이므로 버림하여 7이 됩니다.

8 1.771에서 소수 둘째 자리 숫자가 7이므로 올림하여 1.8이 됩니다.

9 6.524에서 소수 둘째 자리 숫자가 2이므로 버림하여 6.5가 됩니다.

10 3.165에서 소수 셋째 자리 숫자가 5이므로 올림하여 3.17이 됩니다.

개념 체크 1 (○)( ) **2** 4
3 ( )(○) **4** 4

개념 집중 연습

1 (○)( )( ) **2** 8
3 ( )(○)( ) **4** 61
5 147, 150

개념 체크

2 사탕 32개를 봉지 3개에 10개씩 담고 남은 2개를 담을 봉지 1개가 더 필요합니다.
따라서 봉지는 최소 4개 필요합니다.

4 색종이 46장으로 종이 인형 4개를 만들고 6장이 남습니다.
따라서 종이 인형을 최대 4개까지 만들 수 있습니다.

개념 집중 연습

2 배 759상자를 트럭 7대에 100상자씩 싣고 남은 59상자를 실을 트럭 한 대가 더 필요합니다.
따라서 배 759상자를 트럭에 모두 실으려면 트럭이 최소 8대 필요합니다.

3 10개가 안 되는 토마토는 상자에 담아 팔 수 없으므로 버림해야 합니다.

4 토마토 615개를 10개씩 61상자에 담고 5개가 남습니다. 따라서 토마토를 최대 61상자까지 팔 수 있습니다.

1 100, 2000 **2** 430
3 8300, 8000 **4** 5.39
5 53400명 **6** 49000명
7 ③, ④ **8** 5, 6, 7, 8, 9
9 (1) 올림 (2) 25 **10** 반올림에 ○표
11 올림 **12** 9000원
13 버림 **14** 2400마리
15 1860, 660, 730 **16** 362상자

5 53427에서 십의 자리 숫자가 2이므로 버림하여 53400이 됩니다.

6 48783에서 백의 자리 숫자가 7이므로 올림하여 49000이 됩니다.

7 반올림하여 천의 자리까지 나타내면 다음과 같습니다.
① 2546 ➡ 3000 ② 3218 ➡ 3000
③ 3679 ➡ 4000 ④ 2497 ➡ 2000
⑤ 3361 ➡ 3000

8 주어진 수의 십의 자리 숫자가 4인데 반올림하여 십의 자리까지 나타낸 수가 8150으로 십의 자리 숫자가 5가 되었으므로 일의 자리에서 올림한 것입니다.
따라서 일의 자리 숫자가 5, 6, 7, 8, 9 중 하나여야 합니다.

11 모자라지 않게 내야 하므로 올림해야 합니다.

12 8900원을 1000원짜리 지폐로만 낸다면 최소 9000원을 내고, 거스름돈 100원을 받게 됩니다.

13 100마리가 안 되는 오징어는 묶어서 팔 수 없으므로 버림해야 합니다.

14 100마리씩 묶으면 24묶음이 되고 49마리가 남습니다. 오징어를 24묶음까지 팔 수 있으므로 최대 2400마리입니다.

16 공장에서 만든 운동화 3627켤레를 10켤레씩 362상자에 담고 7켤레가 남습니다.
따라서 포장한 운동화는 최대 362상자입니다.

---

28 ~ 30쪽 **평가** **1단원** 빠삭

1 이상

2 ( )
(○)

3 2100에 ○표 **4** 24에 △표
5 영선, 기창 **6** 재희, 영재, 기창
7 6.6 **8** 5 cm
9

10 51000, 50000, 50000
11 45 초과 51 이하인 수
12 ㉡ **13** ㉠
14 예은 **15** 서현, 진아
16 대구 / 인천 / 부산
17 3000원
18 ㉠, ㉢ **19** 9699
20 9800

---

2 13이 포함되지 않으므로 13 미만인 수입니다.

3 2156에서 백의 자리 아래 수인 56을 0으로 보고 버림하면 2100이 됩니다.

4 24 초과인 수: 24보다 큰 수
➡ 24는 포함되지 않습니다.

5 187 초과인 수는 187보다 큰 수이므로
영선(268회), 기창(213회)입니다.

6 213 이하인 수는 213과 같거나 작은 수이므로
재희(145회), 영재(187회), 기창(213회)입니다.

7 6.529에서 소수 첫째 자리 아래 수를 0.1로 보고 올림하면 6.6이 됩니다.

8 색 테이프의 길이는 4.7 cm입니다.
4.7에서 소수 첫째 자리 숫자가 7이므로 올림하여 5가 됩니다.

---

9 수직선에 15 이상인 수는 ●을, 19 미만인 수는 ○을 이용하여 나타냅니다.

참고

수의 범위를 수직선에 나타내기		
	점 표시	선의 방향
이상	●	오른쪽
이하	●	왼쪽
초과	○	오른쪽
미만	○	왼쪽

11 45는 포함되지 않고 51은 포함됩니다.
➡ 45 초과 51 이하인 수

12 버림하여 백의 자리까지 나타내면 다음과 같습니다.

㉠ 360 ➡ 300 ㉡ 428 ➡ 400
 버립니다. 버립니다.

㉢ 387 ➡ 300 ㉣ 305 ➡ 300
 버립니다. 버립니다.

13 ㉠ 8125를 반올림하여 십의 자리까지 나타낸 수: 8130

㉡ 8125를 반올림하여 백의 자리까지 나타낸 수: 8100

➡ 8130 > 8100

14 예은: 버림, 현우: 올림

15 키가 140 cm 이상인 사람만 바이킹을 탈 수 있으므로 140과 같거나 큰 수를 찾으면 140.0, 150.2입니다. 따라서 바이킹을 탈 수 있는 사람은 서현이와 진아입니다.

16 ■ 초과 ▲ 이하인 수는 ■보다 크고, ▲와 같거나 작은 수입니다.
주어진 강수량 범위에 속하는 도시를 각각 찾습니다.

17 2600원을 1000원짜리 지폐로만 낸다면 최소 3000원을 내고, 거스름돈 400원을 받게 됩니다.

18 ㉠ 130과 같거나 크고, 135보다 작은 수이므로 130이 포함됩니다.

㉢ 129보다 크고, 134보다 작은 수이므로 130이 포함됩니다.

19 버림하여 백의 자리까지 나타내면 9600이 되는 자연수는 96□□입니다. □□에는 0부터 99까지 들어갈 수 있으므로 96□□인 수 중 가장 큰 수는 9699입니다.

20 만들 수 있는 가장 큰 네 자리 수: 9763
9763을 올림하여 백의 자리까지 나타내면 9800입니다.

2 분수의 곱셈

1단계 개념 빠삭

개념 체크 1 (1) 5, 5 (2) 3, 6
2 5, 15, 3, 3
3 방법① 2, 2 / 방법② 1, 1, 2

개념 집중 연습

1 1, 1, 1, 3, 3, 1, 1   **2** 3, 3, 2, 6, 1, 1
3 10, 10, 3, 1   **4** 2, 2, 10, 3, 1

5 $\dfrac{5}{6} \times 3 = \dfrac{5 \times 3}{6} = \dfrac{\overset{5}{\cancel{15}}}{\underset{2}{\cancel{6}}} = \dfrac{5}{2} = 2\dfrac{1}{2}$

6 $\dfrac{7}{12} \times 9 = \dfrac{7 \times 9}{12} = \dfrac{\overset{21}{\cancel{63}}}{\underset{4}{\cancel{12}}} = \dfrac{21}{4} = 5\dfrac{1}{4}$

7 $1\dfrac{1}{7}$ **8** $3\dfrac{1}{2}$

9 $4\dfrac{1}{2}$ **10** $\dfrac{3}{4}$

개념 집중 연습

1 $\dfrac{1}{2} \times 3$은 $\dfrac{1}{2}$을 3번 더한 것과 같습니다.

2 $\dfrac{3}{5} \times 2$는 $\dfrac{3}{5}$을 2번 더한 것과 같습니다.

3 분자와 자연수를 곱한 후 약분하여 계산합니다.

4 주어진 곱셈식에서 분모와 자연수를 약분하여 계산합니다.

7 $\dfrac{1}{7} \times 8 = \dfrac{1 \times 8}{7} = \dfrac{8}{7} = 1\dfrac{1}{7}$

8 $\dfrac{1}{6} \times 21 = \dfrac{1 \times 21}{6} = \dfrac{\overset{7}{\cancel{21}}}{\underset{2}{\cancel{6}}} = \dfrac{7}{2} = 3\dfrac{1}{2}$

> **참고**
> 계산 결과를 기약분수로 나타내어야 정답이지만 기약분수가 아닌 분수도 정답으로 인정합니다.

9 $\dfrac{3}{\underset{2}{\cancel{14}}} \times \overset{3}{\cancel{21}} = \dfrac{3 \times 3}{2} = \dfrac{9}{2} = 4\dfrac{1}{2}$

10 $\dfrac{3}{20} \times 5 = \dfrac{3 \times 5}{20} = \dfrac{\cancel{15}}{\underset{4}{\cancel{20}}} = \dfrac{3}{4}$

1단계 개념 빠삭

개념 체크 1 (1) 4, 8, 2, 2 (2) 6, 12, 2, 2
2 방법① 8, 8, 24, 3, 3 / 방법② 3, 3, 3

개념 집중 연습

1 7, 7, 14, 2, 4   **2** 3, 3, 9, 4, 1
3 3, 3, 3, 3, 3   **4** 4, 8, 2, 2, 6, 2

5 $1\dfrac{1}{6} \times 4 = \dfrac{7}{\underset{3}{\cancel{6}}} \times \overset{2}{\cancel{4}} = \dfrac{14}{3} = 4\dfrac{2}{3}$

6 $1\dfrac{2}{9} \times 3 = \dfrac{11}{\underset{3}{\cancel{9}}} \times \overset{1}{\cancel{3}} = \dfrac{11}{3} = 3\dfrac{2}{3}$

7 $9\dfrac{3}{8}$ **8** $10\dfrac{1}{2}$

9 $9\dfrac{1}{5}$ **10** $14\dfrac{2}{3}$

개념 집중 연습

1 $1\dfrac{2}{5}$를 가분수로 바꾼 후 2를 곱하여 계산합니다.

2 $1\dfrac{1}{2}$을 가분수로 바꾼 후 3을 곱하여 계산합니다.

3 $1\dfrac{1}{4}$을 1과 $\dfrac{1}{4}$의 합으로 보고 각각에 3을 곱하여 계산합니다.

7 $1\dfrac{7}{8} \times 5 = \dfrac{15}{8} \times 5 = \dfrac{75}{8} = 9\dfrac{3}{8}$

> **참고**
> • (대분수)×(자연수)의 계산 방법
> 방법① 대분수를 가분수로 바꾸어 계산합니다.
> 방법② 대분수를 자연수와 진분수의 합으로 보고 계산합니다.

8 $1\dfrac{1}{2} \times 7 = (1 \times 7) + \left(\dfrac{1}{2} \times 7\right)$
$= 7 + \dfrac{7}{2} = 7 + 3\dfrac{1}{2} = 10\dfrac{1}{2}$

9 $2\dfrac{3}{10} \times 4 = \dfrac{23}{\underset{5}{\cancel{10}}} \times \overset{2}{\cancel{4}} = \dfrac{46}{5} = 9\dfrac{1}{5}$

10 $1\dfrac{5}{6} \times 8 = (1 \times 8) + \left(\dfrac{5}{\underset{3}{\cancel{6}}} \times \overset{4}{\cancel{8}}\right)$
$= 8 + \dfrac{20}{3} = 8 + 6\dfrac{2}{3} = 14\dfrac{2}{3}$

2단계 **①~②** 익힘책 빠삭

1 2, 7

2 $\dfrac{9}{\underset{2}{10}} \times \overset{3}{15} = \dfrac{9 \times 3}{2} = \dfrac{27}{2} = 13\dfrac{1}{2}$

3 ( )(○)( ) **4** $13\dfrac{1}{2}$

5 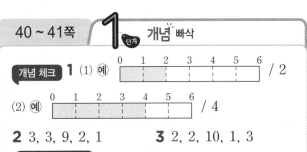 **6** 준하

7 $\dfrac{7}{8} \times 4 = 3\dfrac{1}{2}$, $3\dfrac{1}{2}$ L **8** 21, 2

9 2, 6, $5\dfrac{1}{5}$ **10** $28\dfrac{1}{2}$

11 $3\dfrac{1}{3} \times 5 = \dfrac{10}{3} \times 5 = \dfrac{10 \times 5}{3} = \dfrac{50}{3} = 16\dfrac{2}{3}$

12 예

$1\dfrac{5}{8} \times 6$	$1\dfrac{3}{10} \times 15$
$\dfrac{13}{8} \times 6$	$\dfrac{13}{2} \times 3$

13 $1\dfrac{1}{4} \times 6 = 7\dfrac{1}{2}$, $7\dfrac{1}{2}$ cm

3 $\dfrac{1}{5} \times 4 = \dfrac{1}{5} + \dfrac{1}{5} + \dfrac{1}{5} + \dfrac{1}{5} = \dfrac{1 \times 4}{5} = \dfrac{4}{5}$

4 ㉠×㉡ $= \dfrac{9}{\underset{2}{16}} \times \overset{3}{24} = \dfrac{27}{2} = 13\dfrac{1}{2}$

5 • $\dfrac{1}{6} \times 13 = \dfrac{1 \times 13}{6} = \dfrac{13}{6} = 2\dfrac{1}{6}$

　• $\dfrac{3}{8} \times 12 = \dfrac{3 \times 12}{8} = \dfrac{36}{\underset{2}{8}} = \dfrac{9}{2} = 4\dfrac{1}{2}$

6 하은: $\dfrac{1}{\underset{3}{9}} \times \overset{7}{21} = \dfrac{7}{3} = 2\dfrac{1}{3}$ (×)

　준하: $\dfrac{4}{\underset{3}{15}} \times \overset{1}{5} = \dfrac{4}{3} = 1\dfrac{1}{3}$ (○)

7 (4일 동안 마신 물의 양)
　= (하루에 마시는 물의 양)×4
　$= \dfrac{7}{\underset{2}{8}} \times \overset{1}{4} = \dfrac{7}{2} = 3\dfrac{1}{2}$ (L)

11 $\dfrac{10}{3} \times 5$는 $\dfrac{10 \times 5}{3}$와 같이 자연수를 분자에만 곱해야 하는데 분모에도 곱해서 잘못되었습니다.

12 • $1\dfrac{5}{8} \times 6$에서 $1\dfrac{5}{8}$를 가분수로 바꾸면 $\dfrac{13}{8}$이므로 $1\dfrac{5}{8} \times 6$과 $\dfrac{13}{8} \times 6$은 계산 결과가 같습니다.

　• $1\dfrac{3}{10} \times 15$는 가분수로 바꾸어 $\dfrac{13}{10} \times 15$로 계산할 수 있으며 이 식을 약분하면 $\dfrac{13}{\underset{2}{10}} \times \overset{3}{15} = \dfrac{13}{2} \times 3$ 이 되므로 $\dfrac{13}{2} \times 3$과 계산 결과가 같습니다.

13 (정육각형의 둘레)
　= (한 변의 길이)×6
　$= 1\dfrac{1}{4} \times 6 = \dfrac{5}{\underset{2}{4}} \times \overset{3}{6} = \dfrac{15}{2} = 7\dfrac{1}{2}$ (cm)

1단계 개념 빠삭

개념 체크

1 (1) 예 　/ 2

　(2) 예 　/ 4

2 3, 3, 9, 2, 1 **3** 2, 2, 10, 1, 3

개념 집중 연습

1 21, 21, 5, 1 **2** 3, 3, 21, 5, 1

3 $10 \times \dfrac{1}{6} = \dfrac{10 \times 1}{\underset{3}{6}} = \dfrac{5}{3} = 1\dfrac{2}{3}$

4 $9 \times \dfrac{4}{15} = \dfrac{9 \times 4}{\underset{5}{15}} = \dfrac{12}{5} = 2\dfrac{2}{5}$

5 5 **6** $11\dfrac{2}{3}$

7 $13\dfrac{1}{3}$ **8** $6\dfrac{3}{10}$

9 35 **10** $6\dfrac{1}{4}$

개념 집중 연습

5 $\overset{5}{35} \times \dfrac{1}{\underset{1}{7}} = 5$

6 $30 \times \dfrac{7}{18} = \dfrac{\overset{5}{30} \times 7}{\underset{3}{18}} = \dfrac{35}{3} = 11\dfrac{2}{3}$

7 $56 \times \dfrac{5}{21} = \dfrac{\overset{8}{56} \times 5}{\underset{3}{21}} = \dfrac{40}{3} = 13\dfrac{1}{3}$

8 $9 \times \dfrac{7}{10} = \dfrac{9 \times 7}{10} = \dfrac{63}{10} = 6\dfrac{3}{10}$

9 $42 \times \dfrac{5}{6} = \dfrac{\overset{7}{\cancel{42}} \times 5}{\underset{1}{\cancel{6}}} = 35$

10 $20 \times \dfrac{5}{16} = \dfrac{20 \times 5}{16} = \dfrac{\overset{25}{\cancel{100}}}{\underset{4}{\cancel{16}}} = \dfrac{25}{4} = 6\dfrac{1}{4}$

42~43쪽 **1** 단계 개념 빠삭

개념 체크 **1** 방법① 8, 2, 2 / 방법② 2, 2, 2, 2
2 5, 5, 25, 6, 1   **3** <

개념 집중 연습

1 7, 7, 35, 17, 1   **2** 1, 5, 2, 1, 17, 1

3 $9 \times 1\dfrac{5}{6} = (9 \times 1) + \left(\overset{3}{\cancel{9}} \times \dfrac{5}{\underset{2}{\cancel{6}}}\right) = 9 + \dfrac{15}{2}$
$\qquad = 9 + 7\dfrac{1}{2} = 16\dfrac{1}{2}$

4 $10 \times 2\dfrac{1}{4} = (10 \times 2) + \left(\overset{5}{\cancel{10}} \times \dfrac{1}{\underset{2}{\cancel{4}}}\right) = 20 + \dfrac{5}{2}$
$\qquad = 20 + 2\dfrac{1}{2} = 22\dfrac{1}{2}$

5 $22\dfrac{1}{2}$ **6** $16\dfrac{1}{4}$

7 $9\dfrac{2}{3}$ **8** $12\dfrac{1}{2}$

9 $11\dfrac{1}{3}$ **10** $25\dfrac{1}{5}$

개념 집중 연습

5 $6 \times 3\dfrac{3}{4} = (6 \times 3) + \left(\overset{3}{\cancel{6}} \times \dfrac{3}{\underset{2}{\cancel{4}}}\right) = 18 + \dfrac{9}{2}$
$\qquad = 18 + 4\dfrac{1}{2} = 22\dfrac{1}{2}$

6 $10 \times 1\dfrac{5}{8} = \overset{5}{\cancel{10}} \times \dfrac{13}{\underset{4}{\cancel{8}}} = \dfrac{65}{4} = 16\dfrac{1}{4}$

7 $2 \times 4\dfrac{5}{6} = \overset{1}{\cancel{2}} \times \dfrac{29}{\underset{3}{\cancel{6}}} = \dfrac{29}{3} = 9\dfrac{2}{3}$

8 $4 \times 3\dfrac{1}{8} = (4 \times 3) + \left(\overset{1}{\cancel{4}} \times \dfrac{1}{\underset{2}{\cancel{8}}}\right) = 12 + \dfrac{1}{2} = 12\dfrac{1}{2}$

9 $8 \times 1\dfrac{5}{12} = \overset{2}{\cancel{8}} \times \dfrac{17}{\underset{3}{\cancel{12}}} = \dfrac{34}{3} = 11\dfrac{1}{3}$

---

10 $9 \times 2\dfrac{4}{5} = (9 \times 2) + \left(9 \times \dfrac{4}{5}\right)$
$\qquad = 18 + \dfrac{36}{5} = 18 + 7\dfrac{1}{5} = 25\dfrac{1}{5}$

44~45쪽 **2** 단계 ❸~❹ 익힘책 빠삭

1 15, 3   **2** ( )
$\qquad\qquad\qquad\qquad$ (○)

3 $15 \times \dfrac{3}{4} = \dfrac{15 \times 3}{4} = \dfrac{45}{4} = 11\dfrac{1}{4}$

4 ( )( )(○)   **5** 500 mL

6 ㉠   **7** $25 \times \dfrac{4}{5} = 20$, 20개

8 6, 12   **9** 5

10 예) $1\dfrac{2}{15} = \dfrac{17}{15}$이므로
$\qquad 6 \times 1\dfrac{2}{15} = \overset{2}{\cancel{6}} \times \dfrac{17}{\underset{5}{\cancel{15}}} = \dfrac{2 \times 17}{5} = \dfrac{34}{5} = 6\dfrac{4}{5}$

11 $21\dfrac{3}{4}$ **12**

13 ㉠

14 $8 \times 5\dfrac{11}{20} = 44\dfrac{2}{5}$, $44\dfrac{2}{5}$ cm²

2 • $8 \times \dfrac{1}{4}$은 2입니다.

$\qquad$ • 8에 $\dfrac{3}{4}$을 곱하면 계산 결과는 8보다 작습니다.

3 자연수와 분자를 곱해야 하는데 자연수와 분모를 곱해서 잘못되었습니다.

4 $4 \times \dfrac{5}{7}$는 분모는 그대로 두고 자연수와 분자를 곱하기 때문에 $\dfrac{5}{7} \times 4$, $5 \times \dfrac{4}{7}$와 계산 결과가 같습니다.

6 ㉠ 12에 1을 곱하면 계산 결과는 그대로 12입니다.
$\qquad$ ㉡ 12에 진분수 $\dfrac{9}{15}$를 곱하면 계산 결과는 12보다 작습니다.

7 (먹은 사탕의 수) = (처음에 있던 사탕의 수) $\times \dfrac{4}{5}$
$\qquad = \overset{5}{\cancel{25}} \times \dfrac{4}{\underset{1}{\cancel{5}}} = 20$(개)

12 • $2\frac{2}{9}\times4=4\times2\frac{2}{9}$로 곱하는 순서를 바꾸어도 계산 결과는 같습니다.

• $1\frac{1}{9}\times2$는 가분수로 바꾸어 $\frac{10}{9}\times2$로 계산할 수 있고 $\frac{10}{9}\times2=2\times\frac{10}{9}$으로 곱하는 순서를 바꾸어도 계산 결과는 같습니다.

13 ㉠ 10에 대분수를 곱하면 계산 결과는 10보다 큽니다.

참고
곱하는 수가 1보다 크면 계산 결과가 처음 수보다 크고, 곱하는 수가 1보다 작으면 계산 결과가 처음 수보다 작습니다.

14 (가로)×(세로)=$8\times5\frac{11}{20}=\overset{2}{8}\times\frac{111}{\underset{5}{20}}$

$=\frac{222}{5}=44\frac{2}{5}$ (cm²)

---

46 ~ 47쪽   개념 빠삭

개념 체크 **1** (1) 12 (2) 20
2 (1) 5, 15 (2) 2, 16 **3** (1) > (2) <

개념 집중 연습
1 2, 4, 8 **2** 3, 3, 9
3 9, 2, 18 **4** 4, 6, 24
5 7, 5, $\frac{1}{35}$ **6** 8, 3, $\frac{1}{24}$
7 $\frac{1}{16}$ **8** $\frac{1}{21}$
9 $\frac{1}{72}$ **10** $\frac{1}{30}$
11 $\frac{1}{36}$ **12** $\frac{1}{45}$

개념 체크
1 (1) $\frac{1}{3}\times\frac{1}{4}$은 전체를 12등분한 것 중의 하나의 값과 같으므로 $\frac{1}{12}$입니다.

(2) $\frac{1}{4}\times\frac{1}{5}$은 전체를 20등분한 것 중의 하나의 값과 같으므로 $\frac{1}{20}$입니다.

개념 집중 연습
9 $\frac{1}{9}\times\frac{1}{8}=\frac{1\times1}{9\times8}=\frac{1}{72}$
10 $\frac{1}{6}\times\frac{1}{5}=\frac{1\times1}{6\times5}=\frac{1}{30}$
11 $\frac{1}{4}\times\frac{1}{9}=\frac{1\times1}{4\times9}=\frac{1}{36}$
12 $\frac{1}{5}\times\frac{1}{9}=\frac{1\times1}{5\times9}=\frac{1}{45}$

48 ~ 49쪽  개념 빠삭

개념 체크 **1** (1) $\frac{3}{20}$ (2) $\frac{9}{20}$

2 (1) 2, $\frac{3}{16}$ (2) 5, 7, $\frac{25}{42}$

(3) (위에서부터) 2, 3, 5, $\frac{2}{75}$

개념 집중 연습
1 3, 2, $\frac{3}{8}$ **2** 2, 3, $\frac{4}{9}$
3 7, 9, 63 **4** 7, 8, $\frac{35}{72}$
5 2, 7, $\frac{14}{81}$ **6** 1, 3, 4, $\frac{9}{140}$
7 $\frac{15}{28}$ **8** $\frac{1}{6}$
9 $\frac{1}{12}$ **10** $\frac{25}{33}$
11 $\frac{1}{12}$ **12** $\frac{5}{84}$

개념 체크
1 (1) $\frac{3}{5}\times\frac{1}{4}$은 전체를 20등분한 것 중의 3만큼과 같으므로 $\frac{3}{20}$입니다.

(2) $\frac{3}{5}\times\frac{3}{4}$은 전체를 20등분한 것 중의 9만큼과 같으므로 $\frac{9}{20}$입니다.

개념 집중 연습
9 $\frac{2}{9}\times\frac{3}{8}=\frac{\overset{1}{2}\times\overset{1}{3}}{\underset{3}{9}\times\underset{4}{8}}=\frac{1}{12}$

10 $\dfrac{10}{11}\times\dfrac{5}{6}=\dfrac{10\times5}{11\times6}=\dfrac{\overset{25}{\cancel{50}}}{\underset{33}{\cancel{66}}}=\dfrac{25}{33}$

11 $\dfrac{1}{\cancel{2}}\times\dfrac{\overset{1}{\cancel{2}}}{3}\times\dfrac{1}{4}=\dfrac{1}{12}$

12 $\dfrac{2}{9}\times\dfrac{5}{7}\times\dfrac{3}{8}=\dfrac{2\times5\times\overset{1}{\cancel{3}}}{9\times7\times\underset{4}{\cancel{8}}}=\dfrac{5}{84}$

개념 체크 **1** **방법①** 9, 4, 36, 3 / **방법②** 1, 3, 3, 3
2 1, 3, 1, 12, 2, 2

개념 집중 연습

1 11, 1, $\dfrac{11}{4}$, $2\dfrac{3}{4}$　　**2** 8, 4, $\dfrac{32}{9}$, $3\dfrac{5}{9}$

3 4, 4, $\dfrac{20}{7}$, $2\dfrac{6}{7}$　　**4** 3, 3, $\dfrac{21}{8}$, $2\dfrac{5}{8}$

5 $4\dfrac{1}{5}\times2\dfrac{4}{7}=\dfrac{21}{5}\times\dfrac{\overset{3}{\cancel{18}}}{7}=\dfrac{54}{5}=10\dfrac{4}{5}$

6 $2\dfrac{7}{10}\times3\dfrac{1}{3}=\dfrac{\overset{9}{\cancel{27}}}{\underset{1}{\cancel{10}}}\times\dfrac{\overset{1}{\cancel{10}}}{\underset{1}{\cancel{3}}}=9$

7 $\dfrac{8}{9}$　　　　**8** $1\dfrac{1}{7}$

9 $2\dfrac{7}{9}$　　　　**10** $3\dfrac{3}{4}$

개념 집중 연습

1~2 대분수를 가분수로 바꾸어 계산합니다.

3~4 (자연수)를 $\dfrac{(자연수)}{1}$로 나타내고 분자는 분자끼리,
분모는 분모끼리 곱하여 계산합니다.

7 $\dfrac{2}{9}\times4=\dfrac{2}{9}\times\dfrac{4}{1}=\dfrac{2\times4}{9\times1}=\dfrac{8}{9}$

8 $1\dfrac{3}{5}\times\dfrac{5}{7}=\dfrac{8}{\cancel{5}}\times\dfrac{\overset{1}{\cancel{5}}}{7}=\dfrac{8}{7}=1\dfrac{1}{7}$

9 $1\dfrac{1}{4}\times2\dfrac{2}{9}=\dfrac{5}{\cancel{4}}\times\dfrac{\overset{5}{\cancel{20}}}{9}=\dfrac{25}{9}=2\dfrac{7}{9}$

10 $2\dfrac{5}{8}\times1\dfrac{3}{7}=\dfrac{\overset{3}{\cancel{21}}}{\underset{4}{\cancel{8}}}\times\dfrac{\overset{5}{\cancel{10}}}{\underset{1}{\cancel{7}}}=\dfrac{15}{4}=3\dfrac{3}{4}$

---

1 27, 분모　　　　**2** $\dfrac{1}{40}$

3 (　)(○)　　　**4** 6, 7 또는 7, 6

5 3, 분자　　　　**6** $\dfrac{\overset{}{\cancel{4}}}{\underset{3}{\cancel{9}}}\times\dfrac{\overset{1}{\cancel{3}}}{\underset{7}{\cancel{14}}}=\dfrac{2}{21}$

7 $\dfrac{5}{21}$　　　　**8** $>$

9 $\dfrac{9}{44}$　　　　**10** $\dfrac{2}{9}\times\dfrac{3}{7}=\dfrac{2}{21}$, $\dfrac{2}{21}$

11 17, 1　　　　**12** 10, 70, 7

13 $\dfrac{1}{15}$, $\dfrac{1}{30}$

14 $1\dfrac{5}{8}\times1\dfrac{1}{10}=\dfrac{13}{8}\times\dfrac{11}{10}=\dfrac{143}{80}=1\dfrac{63}{80}$

15 $1\dfrac{11}{25}$ m²

---

3 단위분수 $\dfrac{1}{7}$에 단위분수 $\dfrac{1}{9}$을 곱하면 계산 결과는 $\dfrac{1}{7}$
보다 작습니다.

4 $\dfrac{1}{\square}\times\dfrac{1}{\square}$에서 분모에 큰 수가 들어갈수록 계산 결과
가 작아집니다. 따라서 두 장의 카드를 사용하여 계
산 결과가 가장 작은 식을 만들려면 수 카드 6, 7을
사용해야 합니다.

7 $\dfrac{5}{7}\times\dfrac{1}{3}=\dfrac{5\times1}{7\times3}=\dfrac{5}{21}$

8 어떤 수에 더 큰 수를 곱할수록 계산 결과가 더 커집
니다.
$\dfrac{1}{2}$이 $\dfrac{1}{3}$보다 크므로 $\dfrac{4}{9}$에 $\dfrac{1}{2}$을 곱한 결과가 $\dfrac{1}{3}$을 곱
한 결과보다 더 큽니다.

9 $\dfrac{3}{\underset{2}{\cancel{4}}}\times\dfrac{1}{2}\times\dfrac{\overset{3}{\cancel{6}}}{11}=\dfrac{9}{44}$

10 $\dfrac{2}{9}\times\dfrac{3}{7}=\dfrac{2\times3}{9\times7}=\dfrac{\overset{2}{\cancel{6}}}{\underset{21}{\cancel{63}}}=\dfrac{2}{21}$

13 세 분수의 곱셈은 앞의 두 분수의 곱셈을 먼저 한
후 세 번째 분수를 곱하여 계산할 수 있습니다.

14 대분수를 가분수로 바꾸지 않고 약분하여 계산하여
잘못되었습니다.

15 (정사각형의 넓이)

$$=1\frac{1}{5}\times1\frac{1}{5}=\frac{6}{5}\times\frac{6}{5}=\frac{36}{25}=1\frac{11}{25}\ (m^2)$$

> **참고**
> (정사각형의 넓이)=(한 변의 길이)×(한 변의 길이)

---

54 ~ 56쪽 평가 2단원 빠삭

1 5, 2, 10 　　　　　**2** 10, 20, 200, 9, 11

3 $7\times2\dfrac{5}{21}=(7\times2)+\left(\overset{1}{7}\times\dfrac{5}{\underset{3}{21}}\right)$

$$=14+\frac{5}{3}=14+1\frac{2}{3}=15\frac{2}{3}$$

4 $\dfrac{4}{11}$ 　　　　　**5** $2\dfrac{5}{14}$

6 $13\dfrac{3}{5}$ 　　　　　**7** ④

8 < 　　　　　**9** $\dfrac{1}{56},\ \dfrac{5}{63}$

10 ⦁———⦁
　　⦁　　⦁
　　⦁╳⦁
　　⦁———⦁

11 소영

12 $6\times1\dfrac{1}{2}$에 ○표, $6\times\dfrac{5}{9}$, $6\times\dfrac{3}{4}$에 △표

13 $\dfrac{7}{54}$

14 ㉠ / **모범 답안** 3은 $\dfrac{3}{1}$이므로 3을 분모에도 곱하면 안 됩니다.

15 18 cm² 　　　　　**16** $\dfrac{2}{5}\times30=12$, 12개

17 $\dfrac{7}{24}$ km 　　　　　**18** $43\dfrac{1}{4}$

19 ㉡ 　　　　　**20** $7\dfrac{2}{3}$

---

6 $1\dfrac{7}{10}\times8=\dfrac{17}{\underset{5}{10}}\times\overset{4}{8}=\dfrac{68}{5}=13\dfrac{3}{5}$

7 $\dfrac{5}{7}$의 3배 ➡ $\dfrac{5}{7}\times3=\dfrac{5}{7}+\dfrac{5}{7}+\dfrac{5}{7}=\dfrac{5\times3}{7}$

8 $\overset{6}{\underset{1}{18}}\times\dfrac{2}{3}=12$ ➡ $12<15$

10 $\dfrac{1}{7}\times\dfrac{5}{8}=\dfrac{5}{8}\times\dfrac{1}{7}$, $\dfrac{5}{8}\times7=\dfrac{5}{8}\times\dfrac{7}{1}$, $8\times\dfrac{5}{7}=\dfrac{8}{1}\times\dfrac{5}{7}$

---

11 윤아: $7\times\dfrac{3}{10}=\dfrac{7\times3}{10}=\dfrac{21}{10}=2\dfrac{1}{10}$ (×)

　　소영: $\dfrac{4}{9}\times5=\dfrac{4\times5}{9}=\dfrac{20}{9}=2\dfrac{2}{9}$ (○)

12 6에 진분수를 곱하면 계산 결과는 6보다 작습니다. 6에 대분수나 가분수를 곱하면 계산 결과는 6보다 큽니다.

13 $\dfrac{2}{3}\times\dfrac{7}{9}\times\dfrac{1}{4}=\dfrac{\overset{1}{2}\times7\times1}{3\times9\times\underset{2}{4}}=\dfrac{7}{54}$

14 **평가 기준**

> 자연수 3을 분모에 곱하면 안 된다는 말을 넣어 이유를 바르게 썼으면 정답입니다.

15 $5\dfrac{5}{8}\times3\dfrac{1}{5}=\dfrac{\overset{9}{45}}{\underset{1}{8}}\times\dfrac{\overset{2}{16}}{\underset{1}{5}}=18\ (cm^2)$

16 (필요한 케이크의 수)$=\dfrac{2}{5}\times\overset{6}{\underset{1}{30}}=12$(개)

17 (자전거를 타고 간 거리)

　　=(집에서 학교까지의 거리)$\times\dfrac{5}{12}$

$$=\dfrac{7}{\underset{2}{10}}\times\dfrac{\overset{1}{5}}{12}=\dfrac{7}{24}\ (km)$$

18 ㉠ $2\dfrac{2}{3}\times12=\dfrac{8}{\underset{1}{3}}\times\overset{4}{12}=32$

　　㉡ $10\times1\dfrac{1}{8}=\overset{5}{10}\times\dfrac{9}{\underset{4}{8}}=\dfrac{45}{4}=11\dfrac{1}{4}$

　　➡ ㉠+㉡$=32+11\dfrac{1}{4}=43\dfrac{1}{4}$

19 ㉠ 1시간은 60분이므로 1시간의 $\dfrac{1}{2}$은 30분입니다.

　　㉡ 1 L는 1000 mL이므로 1 L의 $\dfrac{1}{5}$은 200 mL입니다.

　　㉢ 1 m는 100 cm이므로 1 m의 $\dfrac{1}{4}$은 25 cm입니다.

20 만들 수 있는 가장 큰 대분수: $5\dfrac{3}{4}$

$$5\dfrac{3}{4}\times1\dfrac{1}{3}=\dfrac{23}{\underset{1}{4}}\times\dfrac{\overset{1}{4}}{3}=\dfrac{23}{3}=7\dfrac{2}{3}$$

3 합동과 대칭

개념 체크 **1** ( )(○)
2 합동   **3** 나
4 (○)( )

개념 집중 연습

1 다   **2** 나, 다
3 ( )(○)( )   **4** (○)( )( )
5 (○)( )( )   **6** ( )(○)( )
7 (○)( )( )   **8** ( )( )(○)

개념 체크

4 만들어지는 두 도형을 포개었을 때 완전히 겹치는 것은 왼쪽 색종이입니다.

개념 집중 연습

1 도형 가와 포개었을 때 완전히 겹치는 도형은 도형 다입니다.

2 도형 나와 도형 다는 포개었을 때 완전히 겹칩니다.

3~6 왼쪽 도형과 포개었을 때 완전히 겹치는 도형을 찾습니다.

7 첫 번째는 점선을 따라 잘라서 서로 합동인 사각형을 2개 만들 수 있습니다.

8 세 번째는 점선을 따라 잘라서 서로 합동인 사각형을 4개 만들 수 있습니다.

개념 체크 **1** 대응변
2 ㅂ, ㅇㅅ, ㄱㄹㄷ
3 (1) ㅁㅂ에 ○표 (2) 같습니다에 ○표

개념 집중 연습

1 (1) ㄹ, ㅁ, ㅂ (2) ㄹㅁ, ㅁㅂ, ㄹㅂ
  (3) ㄹㅁㅂ, ㄹㅂㅁ, ㅁㄹㅂ

2 3, 3   **3** 4, 4
4 (왼쪽에서부터) 3, 5   **5** (위에서부터) 3, 7
6 60   **7** (위에서부터) 130, 80

개념 체크

1 서로 합동인 두 도형을 포개었을 때 완전히 겹치는 변이므로 대응변입니다.

개념 집중 연습

4~5 서로 합동인 두 도형에서 각각의 대응변의 길이가 서로 같습니다.

6~7 서로 합동인 두 도형에서 각각의 대응각의 크기가 서로 같습니다.

1 합동, 다   **2** 합동
3 가, 라   **4** ( )(○)( )
5

6 라
7 예

8 예   **9** 변, 대응각

10 (1) 점 ㅁ (2) 변 ㄹㅂ (3) 각 ㅂㄹㅁ
11 4쌍, 4쌍, 4쌍
12 각 ㄹㄱㄴ
13 건우
14 (1) 12 cm, 7 cm (2) 32 cm

2 포개었을 때 완전히 겹치는 두 도형을 서로 합동이라고 합니다.

3 도형 가와 도형 라는 포개었을 때 완전히 겹칩니다.

4 도형 다와 포개었을 때 완전히 겹치는 도형은 가운데 도형입니다.

6 도형 가, 나, 다는 포개었을 때 완전히 겹칩니다.

7 잘린 두 도형이 서로 합동이 되도록 선을 긋습니다. 선을 긋는 방법은 여러 가지가 있습니다.

11 두 도형은 서로 합동인 사각형이므로 대응점, 대응변, 대응각이 각각 4쌍 있습니다.

12 서로 합동인 두 도형에서 각각의 대응각의 크기가 서로 같습니다.
  각 ㅁㅇㅅ의 대응각은 각 ㄹㄱㄴ입니다.

13 변 ㄹㅂ의 대응변은 변 ㄱㄷ이므로
변 ㄹㅂ은 5 cm입니다.

> 참고
> 합동인 도형의 성질
> ① 각각의 대응변의 길이가 서로 같습니다.
> ② 각각의 대응각의 크기가 서로 같습니다.

14 (1) 변 ㄴㄷ의 대응변은 변 ㅅㅂ이므로 변 ㄴㄷ은
12 cm입니다.
변 ㄹㄷ의 대응변은 변 ㅁㅂ이므로 변 ㄹㄷ은
7 cm입니다.
(2) (사각형 ㄱㄴㄷㄹ의 둘레)
＝5＋8＋12＋7＝32 (cm)

개념 체크 **1** 선대칭도형   **2** ③
3 (1) ㅂㅁ, ㄹㅇ   (2) 같습니다에 ○표

▶ 개념 집중 연습

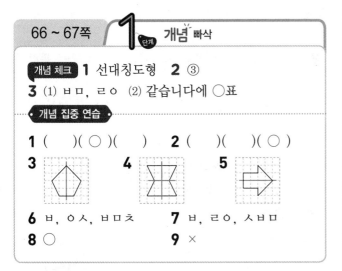

1 (   )(○)(   )   **2** (   )(   )(○)
3   **4**   **5**

6 ㅂ, ㅇㅅ, ㅂㅁㅊ   **7** ㅂ, ㄹㅇ, ㅅㅂㅁ
8 ○   **9** ✕

▶ 개념 집중 연습

1~2 한 직선을 따라 접어서 완전히 겹치는 도형을 찾습니다.

3~5 도형을 완전히 겹치도록 접었을 때 접은 직선을 모두 찾습니다.

6 대칭축을 따라 포개어 보면
- 점 ㄷ과 점 ㅂ이 겹칩니다.
- 변 ㄱㄴ과 변 ㅇㅅ이 겹칩니다.
- 각 ㄷㄹㅊ과 각 ㅂㅁㅊ이 겹칩니다.

7 대칭축을 따라 포개어 보면
- 점 ㄱ과 점 ㅂ이 겹칩니다.
- 변 ㄷㅇ과 변 ㄹㅇ이 겹칩니다.
- 각 ㅅㄱㄴ과 각 ㅅㅂㅁ이 겹칩니다.

9 선대칭도형에서 대응점끼리 이은 선분이 대칭축과 만나서 이루는 각은 90°입니다.

개념 체크 **1** (   )   **2** ①
          (○)
3 (1)   (2)

▶ 개념 집중 연습

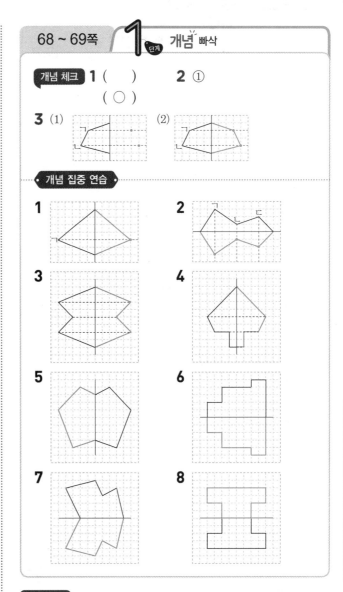

1   **2**
3   **4**
5   **6**
7   **8**

개념 체크

3 (1) 대칭축에서 각각 모눈 3칸, 4칸만큼 떨어진 곳에 표시합니다.
(2) 대응점을 이어 선대칭도형을 완성합니다.

▶ 개념 집중 연습

1 대칭축에서 모눈 5칸만큼 떨어진 곳에 대응점을 표시한 후 대응점을 이어 선대칭도형을 완성합니다.

2 대칭축에서 각각 모눈 3칸, 1칸, 2칸만큼 떨어진 곳에 대응점을 표시한 후 대응점을 이어 선대칭도형을 완성합니다.

3~8 대칭축을 따라 접었을 때 완전히 겹치도록 그립니다.

> 참고
> • 완성한 도형이 선대칭도형인지 확인하는 방법
> ① 대응점을 이은 선분이 대칭축과 서로 수직으로 만나는지 확인하기
> ② 각각의 대응점에서 대칭축까지의 거리가 서로 같은지 확인하기

정답및풀이

70~71쪽 2단계 ③~④ 익힘책 빠삭

1 선대칭도형, 수직 **2** 나

3 (1) 점 ㄹ (2) 변 ㄹㄷ (3) 각 ㄹㄷㅂ

4 / 2

5 115, 6

6 9, 70

7 재석 **8** 3개

9 4 cm **10** 대응점

11 ( )(○)

12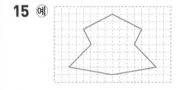

13

14

15 예

2 한 직선을 따라 접어서 완전히 겹치는 도형을 찾습니다.

3 (1) 대칭축을 따라 포개어 보면 점 ㄱ과 점 ㄹ이 겹칩니다.

(2) 대칭축을 따라 포개어 보면 변 ㄱㄴ과 변 ㄹㄷ이 겹칩니다.

(3) 대칭축을 따라 포개어 보면 각 ㄱㄴㅂ과 각 ㄹㄷㅂ이 겹칩니다.

4 도형을 완전히 겹치도록 접었을 때 접은 직선을 모두 찾습니다.

> 주의
> 선대칭도형에서 대칭축은 한 개인 경우도 있고 여러 개인 경우도 있습니다.

5~6 각각의 대응변의 길이와 대응각의 크기가 서로 같습니다.

7 서연: 원은 대칭축이 무수히 많습니다.

8 어, 오, 요 → 3개

9 대칭축은 대응점끼리 이은 선분을 둘로 똑같이 나눕니다.

→ (선분 ㅂㄷ)=(선분 ㄴㄷ)÷2=8÷2=4 (cm)

11 오른쪽 도형은 대칭축을 따라 접었을 때 완전히 겹치므로 선대칭도형을 바르게 그린 것입니다.

13 각 점의 대응점을 찾아 표시한 후 대응점을 이어 선대칭도형을 완성합니다.

72~73쪽 1단계 개념 빠삭

개념 체크 **1** 점대칭도형 **2** ( )(○)

3 (1) ㄹㅁㅂ, ㅁㅂㅅ, ㅂㅅㅇ (2) 같습니다에 ○표

개념 집중 연습

1 ( )(○)( ) **2** (○)( )( )

3 ③ **4** ② **5** ②

6 ㄷ, ㄹㄱ, ㄹㄹㄴ **7** ㅂ, ㅁㅂ, ㅂㄱㄴ

8 × **9** ○

개념 집중 연습

1 어떤 점을 중심으로 180° 돌렸을 때 처음 도형과 완전히 겹치는 도형을 찾습니다.

3~5 대응점끼리 이은 선분이 만나는 점이 대칭의 중심입니다.

8 대칭의 중심은 대응점끼리 이은 선분을 둘로 똑같이 나눕니다.

9 점대칭도형에서 각각의 대응변의 길이가 서로 같습니다.

74~75쪽 1단계 개념 빠삭

개념 체크 **1** (1) ② (2) ③

2 (1) 점 ㄹ (2) (3)

개념 집중 연습

1 ( )(○) **2** (○)( )

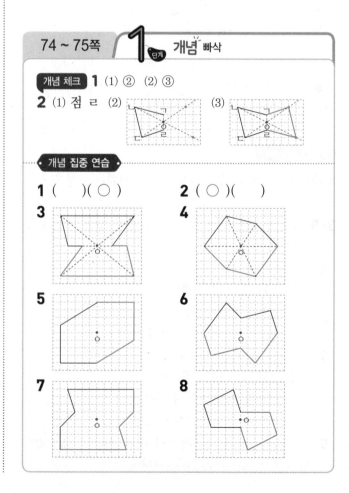

3 **4** **5** **6** **7** **8**

14

정답 및 풀이

개념 체크

2 (2) (3) 각 점의 대응점을 찾아 표시한 후 대응점을
이어 점대칭도형을 완성합니다.

개념 집중 연습

1~2 점을 중심으로 $180°$ 돌렸을 때 처음 도형과 완전히
겹치는 도형을 찾습니다.

3~8 각 점에서 대칭의 중심까지의 길이가 같도록 대응
점을 찾아 표시한 후 대응점을 이어 점대칭도형을
완성합니다.

---

76 ~ 77쪽 2 단계 ❺~❻ 익힘책 빠삭

1 점대칭도형, 대칭의 중심
2 나
3

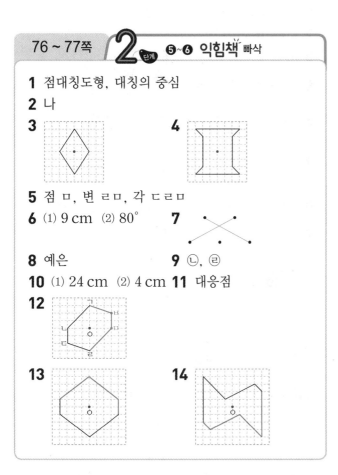

5 점 ㅁ, 변 ㄹㅁ, 각 ㄷㄹㅁ
6 (1) 9 cm (2) 80° **7**
8 예은 **9** ㄴ, ㄹ
10 (1) 24 cm (2) 4 cm **11** 대응점
12
13 **14**

---

2 어떤 점을 중심으로 $180°$ 돌려서 완전히 겹치는 도
형을 찾습니다.

3~4 대응점끼리 이은 선분이 만나는 점이 대칭의 중심
이 됩니다.

5 점 ㅇ을 중심으로 $180°$ 돌렸을 때 겹치는 점, 변,
각을 찾으면 대응점, 대응변, 대응각을 찾을 수 있습
니다.

6 (1) 점대칭도형에서 각각의 대응변의 길이가 서로 같
습니다.

(변 ㄹㅁ)＝(변 ㄱㄴ)＝9 cm

(2) 점대칭도형에서 각각의 대응각의 크기가 서로 같
습니다.

(각 ㄴㄷㄹ)＝(각 ㅁㅂㄱ)＝80°

---

7 각각의 대응점에서 대칭의 중심까지의 거리는 서로
같습니다.

8 예은: 점대칭도형에서 대칭의 중심은 항상 1개입니다.

9 점대칭도형: ㉠, ㉢

10 (1) (선분 ㄴㄹ)＝(선분 ㄴㅇ)×2
＝12×2＝24 (cm)

(2) (선분 ㄱㅇ)＝(선분 ㄱㄷ)÷2
＝8÷2＝4 (cm)

참고

대칭의 중심은 대응점끼리 이은 선분을 둘로 똑같이
나눕니다.

12 점 ㄴ과 점 ㄷ에서 대칭의 중심을 지나는 직선을 긋
고 점 ㄴ과 점 ㄷ에서 대칭의 중심까지의 길이가 같
도록 대응점을 찾아 점 ㅁ과 점 ㅂ으로 표시합니다.
대응점을 이어 점대칭도형을 완성합니다.

---

78 ~ 80쪽 평가 3 단원 빠삭

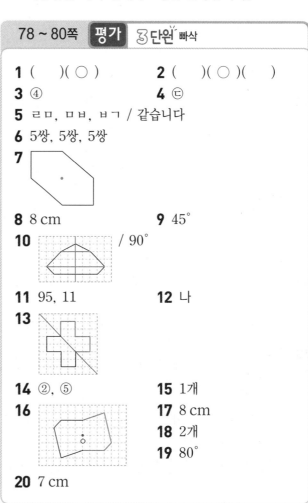

1 ( )(○) **2** ( )(○)( )
3 ④ **4** ㉢
5 ㄹㅁ, ㅁㅂ, ㅂㄱ / 같습니다
6 5쌍, 5쌍, 5쌍
7
8 8 cm **9** 45°
10 / 90°
11 95, 11 **12** 나
13
14 ②, ⑤ **15** 1개
16 **17** 8 cm
18 2개
19 80°
20 7 cm

---

1 왼쪽 도형과 포개었을 때 완전히 겹치는 도형을 찾
습니다.

3 한 직선을 따라 접어서 완전히 겹치는 도형을 찾습
니다.

4 직선 ㉢를 따라 접으면 완전히 겹칩니다.

5 점대칭도형에서 각각의 대응변의 길이가 서로 같습니다.

6 두 도형은 서로 합동인 오각형이므로 대응점, 대응변, 대응각이 각각 5쌍 있습니다.

7 대응점끼리 이은 선분이 만나는 점을 찾습니다.

8 변 ㄹㅁ의 대응변은 변 ㄱㄷ이므로 변 ㄹㅁ은 8 cm입니다.

9 각 ㅁㄹㅂ의 대응각은 각 ㄷㄱㄴ이므로 각 ㅁㄹㅂ은 45°입니다.

10 선대칭도형에서 대응점끼리 이은 선분은 대칭축과 수직으로 만납니다.

11 점대칭도형에서 각각의 대응변의 길이와 대응각의 크기가 서로 같습니다.

12
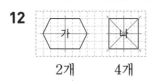
2개   4개

13 대칭축을 따라 접었을 때 완전히 겹치도록 그립니다.

14 ② 변 ㄹㄷ의 대응변은 변 ㅁㅂ입니다.
⑤ 변 ㅂㅅ의 길이는 알 수 없습니다.

15 점대칭도형에서 대칭의 중심은 항상 1개입니다.

16 각 점에서 대칭의 중심을 지나는 직선을 긋습니다. 각 점에서 대칭의 중심까지의 길이가 같도록 대응점을 찾아 표시합니다.
대응점을 차례로 이어 점대칭도형을 완성합니다.

17 대칭축은 대응점끼리 이은 선분을 둘로 똑같이 나눕니다.
➡ (변 ㄴㄷ)=(선분 ㄴㄹ)×2=4×2=8 (cm)

18 선대칭도형: ◯, ⊠, ♣

점대칭도형: ◯, ㄱ, ⊠

➡ 선대칭도형도 되고 점대칭도형도 되는 도형은 모두 2개입니다.

19 각 ㅁㄹㅂ의 대응각은 각 ㄷㄱㄴ이므로 각 ㅁㄹㅂ은 65°입니다.
삼각형의 세 각의 크기의 합은 180°이므로
(각 ㄹㅂㅁ)=180°−65°−35°=80°입니다.

20 점대칭도형에서 각각의 대응변의 길이가 서로 같으므로 변 ㄱㄴ, 변 ㄴㄷ, 변 ㄷㄹ의 길이의 합은 둘레의 반인 17 cm입니다.
(변 ㄴㄷ)=17−4−6=7 (cm)

4 소수의 곱셈

개념 체크 1 예
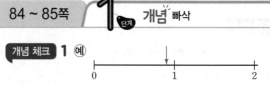

2 '작습니다'에 ◯표 **3** 4, 28, 28, 2.8
4 2, 2, 16, 1.6

개념 집중 연습

1 $0.3+0.3+0.3+0.3=1.2$

2 $0.7+0.7+0.7=2.1$

3 5, 7, 35, 3.5 **4** 9, 9, 6, 54, 5.4

5 $0.2 \times 9 = \dfrac{2}{10} \times 9 = \dfrac{2 \times 9}{10} = \dfrac{18}{10} = 1.8$

6 $0.81 \times 4 = \dfrac{81}{100} \times 4 = \dfrac{81 \times 4}{100} = \dfrac{324}{100} = 3.24$

7 $0.4 \times 6 = \dfrac{4}{10} \times 6 = \dfrac{4 \times 6}{10} = \dfrac{24}{10} = 2.4$

8 $0.72 \times 3 = \dfrac{72}{100} \times 3 = \dfrac{72 \times 3}{100} = \dfrac{216}{100} = 2.16$

9 4.2 **10** 2.5

개념 집중 연습

9 $0.6 \times 7 = \dfrac{6}{10} \times 7 = \dfrac{6 \times 7}{10} = \dfrac{42}{10} = 4.2$

개념 체크 1 예
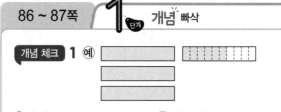

2 3.6 **3** 43, 86, 8.6
4 14, 14, 42, 4.2

개념 집중 연습

1 2.6 / 2, 2.6 **2** 1.1, 3.3 / 3, 3.3
3 32, 32, 3, 96, 9.6 **4** 46, 46, 4, 184, 18.4

5 $2.5 \times 5 = \dfrac{25}{10} \times 5 = \dfrac{25 \times 5}{10} = \dfrac{125}{10} = 12.5$

6 $1.08 \times 4 = \dfrac{108}{100} \times 4 = \dfrac{108 \times 4}{100} = \dfrac{432}{100} = 4.32$

7 $1.9 \times 4 = \dfrac{19}{10} \times 4 = \dfrac{19 \times 4}{10} = \dfrac{76}{10} = 7.6$

8 $5.32 \times 3 = \dfrac{532}{100} \times 3 = \dfrac{532 \times 3}{100} = \dfrac{1596}{100} = 15.96$

9 15.3 **10** 5.04

9 $5.1 \times 3 = 5.1 + 5.1 + 5.1 = 15.3$

10 $1.26 \times 4 = \dfrac{126}{100} \times 4 = \dfrac{126 \times 4}{100} = \dfrac{504}{100} = 5.04$

---

88 ~ 89쪽 **2** 단계 **❶~❷ 익힘책** 빠삭

1 1.5, 15, 5   **2** 4, 1.6

3 $0.9 \times 5 = \dfrac{9}{10} \times 5 = \dfrac{9 \times 5}{10} = \dfrac{45}{10} = 4.5$

4 1.2   **5** <

6 (○)(　)   **7** 0.8, 3, 2.4

8 $0.32 \times 3 = 0.96$, 0.96 kg

9 3.4, 34, 17

10 예  / 1.4, 1.4, 2.8

11 346, 346, 2, 692, 6.92

12 ⑴ 25.5 ⑵ 24.36   **13** 28.48

14 $9.1 \times 3 = \dfrac{91}{10} \times 3 = \dfrac{91 \times 3}{10} = \dfrac{273}{10} = 27.3$

15 $1.8 \times 7 = 12.6$, 12.6 L

---

2 0.4를 4번 더한 것은 0.4×4로 나타낼 수 있습니다.
　➡ 0.4+0.4+0.4+0.4=1.6이므로
　　0.4×4=1.6입니다.

5 0.7×9=6.3 ➡ 6.3<6.5

6 · 0.5×7은 3.5입니다.
　· 0.98×3은 1과 3의 곱인 3보다 작습니다.
　➡ 계산 결과가 3보다 큰 것은 0.5×7입니다.

7 (정삼각형의 둘레)=(한 변의 길이)×3
　　　　　　　　=0.8×3=2.4 (m)

8 0.32 kg씩 3개이므로 식으로 쓰면 0.32×3입니다.
　➡ (참외의 무게)=0.32×3=0.96 (kg)

12 ⑴ 8.5×3=8.5+8.5+8.5=25.5
　⑵ $4.06 \times 6 = \dfrac{406}{100} \times 6 = \dfrac{406 \times 6}{100} = \dfrac{2436}{100}$
　　　　　=24.36

14 9.1은 $\dfrac{91}{10}$로 나타내어 계산합니다.

15 (일주일 동안 마시는 물의 양)
　　=(하루에 마시는 물의 양)×7
　　=1.8×7=12.6 (L)

90 ~ 91쪽 **1** 단계 개념 빠삭

개념 체크 **1** '작습니다'에 ○표

2 2.4   **3** 6, 3, 6, 18, 1.8

4 4.8

개념 집중 연습

1 2.4   **2** 4.9

3 35, 3.5   **4** 248, 2.48

5 $2 \times 0.9 = 2 \times \dfrac{9}{10} = \dfrac{2 \times 9}{10} = \dfrac{18}{10} = 1.8$

6 $28 \times 0.3 = 28 \times \dfrac{3}{10} = \dfrac{28 \times 3}{10} = \dfrac{84}{10} = 8.4$

7 $7 \times 0.14 = 7 \times \dfrac{14}{100} = \dfrac{7 \times 14}{100} = \dfrac{98}{100} = 0.98$

8 $54 \times 0.02 = 54 \times \dfrac{2}{100} = \dfrac{54 \times 2}{100} = \dfrac{108}{100} = 1.08$

9 5.6   **10** 2.16

11 1.6   **12** 0.95

개념 집중 연습

1 한 칸의 크기는 3의 0.1이므로 여덟 칸의 크기는
　3의 0.8, 3의 $\dfrac{8}{10}$이므로 $\dfrac{24}{10}$가 되어 2.4입니다.

2 한 칸의 크기는 7의 0.1이므로 일곱 칸의 크기는
　7의 0.7, 7의 $\dfrac{7}{10}$이므로 $\dfrac{49}{10}$가 되어 4.9입니다.

9 $14 \times \ 4 \ = 56$
　　$\downarrow \frac{1}{10}$배　$\downarrow \frac{1}{10}$배
　$14 \times 0.4 = 5.6$

10 $18 \times \ 12 \ = 216$
　　$\downarrow \frac{1}{100}$배　$\downarrow \frac{1}{100}$배
　$18 \times 0.12 = 2.16$

11 $\begin{array}{r} 8 \\ \times\ 2 \\ \hline 1\ 6 \end{array}$ ➡ $\begin{array}{r} 8 \\ \times\ 0.2 \\ \hline 1.6 \end{array}$

12 $\begin{array}{r} 5 \\ \times\ 1\ 9 \\ \hline 9\ 5 \end{array}$ ➡ $\begin{array}{r} 5 \\ \times\ 0.1\ 9 \\ \hline 0.9\ 5 \end{array}$

참고
곱하는 수가 $\dfrac{1}{10}$배가 되면 계산 결과도 $\dfrac{1}{10}$배가 되고
곱하는 수가 $\dfrac{1}{100}$배가 되면 계산 결과도 $\dfrac{1}{100}$배가
됩니다.

정답 및 풀이

개념 체크 **1** 4에 ○표, 8에 ○표
2 7.5　　　　　**3** 25, 2, 25, 50, 5
4 9.6

• 개념 집중 연습 •

1 6, 3.6 / 3.6, 9.6　　**2** 6, 1.2 / 6, 1.2, 7.2
3 168, 16.8　　　　　**4** 728, 7.28
5 $3 \times 2.6 = 3 \times \dfrac{26}{10} = \dfrac{3 \times 26}{10} = \dfrac{78}{10} = 7.8$
6 $19 \times 1.2 = 19 \times \dfrac{12}{10} = \dfrac{19 \times 12}{10} = \dfrac{228}{10} = 22.8$
7 $6 \times 5.14 = 6 \times \dfrac{514}{100} = \dfrac{6 \times 514}{100} = \dfrac{3084}{100} = 30.84$
8 $20 \times 2.09 = 20 \times \dfrac{209}{100} = \dfrac{20 \times 209}{100} = \dfrac{4180}{100}$
$= 41.8$
9 52.8　　　　**10** 36.6
11 31.5　　　　**12** 110.7

개념 체크
2 5의 1배는 5이고, 5의 0.5배는 2.5이므로 5의 1.5배는 7.5입니다.
3 2.5를 $\dfrac{25}{10}$로 나타내어 계산합니다.

• 개념 집중 연습 •

3 곱하는 수가 $\dfrac{1}{10}$배가 되면 계산 결과도 $\dfrac{1}{10}$배가 됩니다.
4 곱하는 수가 $\dfrac{1}{100}$배가 되면 계산 결과도 $\dfrac{1}{100}$배가 됩니다.
9 $33 \times 16 = 528$
　　　↓$\frac{1}{10}$배　↓$\frac{1}{10}$배
　$33 \times 1.6 = 52.8$
10 $30 \times 122 = 3660$
　　　↓$\frac{1}{100}$배　↓$\frac{1}{100}$배
　$30 \times 1.22 = 36.6$
11
```
    9          9
  × 3 5   →  × 3.5
  3 1 5      3 1.5
```
12
```
      5 4          5 4
    × 2 0 5   →  × 2.0 5
    1 1 0 7 0    1 1 0.7
```

1 3, 1.2
2 예) [그림] / 1.6
3 9, 9, 45, 4.5　　　**4** (1) 2.4 (2) 1.44
5 $18 \times 0.6 = 18 \times \dfrac{6}{10} = \dfrac{18 \times 6}{10} = \dfrac{108}{10} = 10.8$
6 11.5　　　　　**7** 준하
8 $21 \times 0.2 = 4.2$, 4.2 L
9 10, 3.8　　　　**10** 16, 16, 112, 11.2
11 92, 9.2　　　　**12** (1) 7.5 (2) 35.7
13 67.2　　　　　**14** >
15 ㉡　　　　　　**16** 54 cm²

2 10칸 중에서 8칸을 색칠합니다.
한 칸의 크기는 0.2이므로 $2 \times 0.8 = 1.6$입니다.
4 (1) $8 \times 0.3 = 8 \times \dfrac{3}{10} = \dfrac{8 \times 3}{10} = \dfrac{24}{10} = 2.4$
(2) $6 \times 0.24 = 6 \times \dfrac{24}{100} = \dfrac{6 \times 24}{100} = \dfrac{144}{100} = 1.44$
5 0.6을 $\dfrac{6}{10}$으로 나타내어 계산합니다.
7 준하: 0.3은 3의 $\dfrac{1}{10}$배이므로 28×0.3의 계산 결과는 84의 $\dfrac{1}{10}$배인 8.4입니다.
8 (오늘 아낀 물의 양)
　=(하루 동안 사용하는 물의 양)×0.2
　$= 21 \times 0.2 = 4.2$ (L)
12 (1)
```
      5          5
   × 1 5   →  × 1.5
     7 5       7.5
```
(2)
```
      1 7          1 7
    × 2 1   →   × 2.1
    3 5 7       3 5.7
```
13 ㉠×㉡$= 24 \times 2.8 = 67.2$
14 $50 \times 2.25 = 112.5$ ➡ $112.5 > 110.8$
15 ㉠ 3×1.9는 $3 \times 2 = 6$보다 작습니다.
㉡ 2의 3.01배는 $2 \times 3 = 6$보다 큽니다.
16 (평행사변형의 넓이)=(밑변의 길이)×(높이)
　　　　　　　$= 12 \times 4.5 = 54$ (cm²)

참고
소수점 아래 끝자리 수가 0이면 0을 생략하여 나타낼 수 있습니다.
$12 \times 4.5 = 54.0$ ➡ 54

96 ~ 97쪽 · 1단계 개념 빠삭

개념 체크 **1** 0.56 **2** 2, 9, 18, 0.18

3 $\frac{1}{100}$, 0.24 **4**
$$\begin{array}{r} 0.6 \\ \times\ 0.6 \\ \hline 0.3\,6 \end{array}$$

개념 집중 연습

1 2, 7, $\frac{14}{100}$, 0.14 **2** 8, 12, $\frac{96}{1000}$, 0.096

3 24, 0.24 **4** 20, 0.2

5 56, '작은'에 ○표, 0.56

6 252, '큰'에 ○표, 0.252

7 0.115 **8** 0.084

9 0.06 **10** 0.087

개념 체크

3 4×6=24이고, 0.4는 4의 $\frac{1}{10}$배, 0.6은 6의 $\frac{1}{10}$배

이므로 0.4×0.6은 24의 $\frac{1}{100}$배인 0.24입니다.

4 6×6=36인데 0.6에 0.6을 곱하면 0.6의 0.5배인 0.3보다 큰 값이 나와야 하므로 계산 결과는 0.36입니다.

개념 집중 연습

4 주의

0.4는 4의 $\frac{1}{10}$배, 0.5는 5의 $\frac{1}{10}$배이므로 0.4×0.5는 20의 $\frac{1}{10}$배가 아닌 $\frac{1}{100}$배가 되어야 함에 주의합니다.

7 $0.23 \times 0.5 = \frac{23}{100} \times \frac{5}{10} = \frac{115}{1000} = 0.115$

8
$$6 \times 14 = 84$$
$$\downarrow \frac{1}{10}\text{배} \quad \downarrow \frac{1}{100}\text{배} \quad \downarrow \frac{1}{1000}\text{배}$$
$$0.6 \times 0.14 = 0.084$$

9
$$\begin{array}{r} 3 \\ \times\ 2 \\ \hline 6 \end{array} \Rightarrow \begin{array}{r} 0.3 \\ \times\ 0.2 \\ \hline 0.0\,6 \end{array}$$

10
$$\begin{array}{r} 5\,8 \\ \times\ 1\,5 \\ \hline 8\,7\,0 \end{array} \Rightarrow \begin{array}{r} 0.5\,8 \\ \times\ 0.1\,5 \\ \hline 0.0\,8\,7 \end{array}$$

참고

자연수의 곱셈 결과에 소수의 크기를 생각하여 소수점을 찍습니다.

98 ~ 99쪽 · 1단계 개념 빠삭

개념 체크 **1** (1) 15, 23, 345, 3.45

(2) 31, 42, 1302, 13.02

2 (1) 9.35 (2) 8.32 **3**
$$\begin{array}{r} 3.1\,2 \\ \times\ \ \ 1.2 \\ \hline 3.7\,4\,4 \end{array}$$

개념 집중 연습

1 14, 23, $\frac{322}{100}$, 3.22 **2** 318, 15, $\frac{4770}{1000}$, 4.77

3 $\frac{1}{100}$, 5.44 **4** $\frac{1}{1000}$, 9.499

5 468, 4.68 **6** 4564, 4.89, 4.564

7 8.99 **8** 2.438

9 7.84 **10** 1.495

개념 체크

3 312×12=3744인데 3.12에 1.2를 곱하면 3.12의 1배인 3.12보다 조금 커야 하므로 3.744입니다.

개념 집중 연습

8
$$23 \times 106 = 2438$$
$$\downarrow \frac{1}{10}\text{배} \quad \downarrow \frac{1}{100}\text{배} \quad \downarrow \frac{1}{1000}\text{배}$$
$$2.3 \times 1.06 = 2.438$$

9
$$\begin{array}{r} 5\,6 \\ \times\ 1\,4 \\ \hline 7\,8\,4 \end{array} \Rightarrow \begin{array}{r} 5.6 \\ \times\ 1.4 \\ \hline 7.8\,4 \end{array}$$

10
$$\begin{array}{r} 1\,1\,5 \\ \times\ \ \ 1\,3 \\ \hline 1\,4\,9\,5 \end{array} \Rightarrow \begin{array}{r} 1.1\,5 \\ \times\ \ \ 1.3 \\ \hline 1.4\,9\,5 \end{array}$$

100 ~ 101쪽 · 1단계 개념 빠삭

개념 체크 **1** '오른쪽'에 ○표

2 23, 2.3, 0.23 **3** 94×0.13=12.22

4 (1) 0.48 (2) 0.048

개념 집중 연습

1 17.35, 173.5, 1735

2 87, 8.7, 0.87

3 0.1, 94.5 **4** 0.01, 37.76

5 43, 1, 2236, 2236 / 1, 52, 2236, 223.6

6 1, 7, 56, 56 / 10, 7, 100, 0.56

7 185.6, 18.56, 1.856

8 95.25, 9.525, 9.525

정
답
및
풀
이

20

개념 체크

4 (1) 48에서 소수점을 왼쪽으로 2칸 옮깁니다.
(2) 48에서 소수점을 왼쪽으로 3칸 옮깁니다.

개념 집중 연습

1 곱하는 수의 0이 하나씩 늘어날 때마다 곱의 소수점이 오른쪽으로 한 칸씩 옮겨집니다.

2 곱하는 소수의 소수점 아래 자리 수가 하나씩 늘어날 때마다 곱의 소수점이 왼쪽으로 한 칸씩 옮겨집니다.

7 $29 \times 64 = 1856$
→ $29 \times 6.4 = 185.6$
$29 \times 0.64 = 18.56$
$29 \times 0.064 = 1.856$

참고

곱하는 소수의 소수점 아래 자리 수가 하나씩 늘어날 때마다 곱의 소수점이 왼쪽으로 한 칸씩 옮겨집니다.

8 $75 \times 127 = 9525$
→ $7.5 \times 12.7 = 95.25$
$7.5 \times 1.27 = 9.525$
$0.75 \times 12.7 = 9.525$

---

102 ~ 103쪽 **2단계 ⑤~⑦ 익힘책** 빠삭

1 7, $\dfrac{1}{100}$, 0.35

2 $0.06 \times 0.7 = \dfrac{6}{100} \times \dfrac{7}{10} = \dfrac{42}{1000} = 0.042$

3

4 0.06　　　　　　**5** 0.2

6 100, $\dfrac{1}{100}$, 3.36

7 3264, 3.264　　　**8** 27.3

9
$$\begin{array}{r} 2.5 \\ \times\ 1.1 \\ \hline 2.7\,5 \end{array}$$
10 (위에서부터)
　　4.48, 3.5

11 $35.5 \times 1.2 = 42.6$, 42.6 kg

12 39, 1.6, 0.456　**13** (1) 12.22 (2) 1.222

14 (1) 100 (2) 0.1　　**15** $=$

2 0.06을 $\dfrac{6}{100}$으로, 0.7을 $\dfrac{7}{10}$로 나타내어 계산합니다.

---

3 $0.6 \times 0.8 = 0.48$, $0.7 \times 0.7 = 0.49$

4 0.9는 9의 $\dfrac{1}{10}$배이고 0.054는 54의 $\dfrac{1}{1000}$배이므로
□ 안에 알맞은 수는 6의 $\dfrac{1}{100}$배여야 합니다.
→ □$= 0.06$

5 0.02×0.5는 0.01이어야 하는데 잘못 눌러서 0.1이 나왔으므로 0.2와 0.5를 누른 것입니다.

8 $3.5 \times 7.8 = \dfrac{35}{10} \times \dfrac{78}{10} = \dfrac{2730}{100} = 27.3$

9 $25 \times 11 = 275$인데 2.5에 1.1을 곱하면 2.5보다 조금 큰 값이 나와야 하므로 계산 결과는 2.75입니다.

10 $3.2 \times 1.4 = 4.48$, $2.5 \times 1.4 = 3.5$

11 (윤서의 몸무게)=(지우의 몸무게)$\times 1.2$
　　　　　　$= 35.5 \times 1.2 = 42.6$ (kg)

14 (1) 0.625의 소수점이 오른쪽으로 2칸 옮겨졌으므로
□$= 100$입니다.
(2) 38의 소수점이 왼쪽으로 한 칸 옮겨졌으므로
□$= 0.1$입니다.

15 1.54×27과 15.4×2.7은 소수를 분수로 나타내면 154×27의 곱에 $\dfrac{1}{100}$배를 한 것과 같으므로 두 곱의 결과는 같습니다.

---

104 ~ 106쪽 **평가 ④단원** 빠삭

1 (1) 1.8 (2) 1.8 (3) 6, 1.8

2 82, 82, 4, 328, 32.8

3 216, 216, 648, 6.48

4 45, 4.5　　　　**5** (1) 1.95 (2) 8.792

6 0.32　　　　　　**7** 4.05

8 $0.63 \times 2.1 = 1.3\,2\,3$　**9** $<$

10 54.2, 542, 5420　**11**

12 6.4

13 $0.6 \times 0.03 = \dfrac{6}{10} \times \dfrac{3}{100} = \dfrac{18}{1000} = 0.018$

14 (1) 0.01 (2) 1000　**15** 22.63

16 $1.25 \times 1.2 = 1.5$, 1.5 kg

17 $3 \times 0.7 = 2.1$, 2.1 km

18 ㉣　　　　　　　　**19** 3개

20 7.5시간

3 2.16을 $\dfrac{216}{100}$으로 나타내어 계산합니다.

4 곱하는 수가 $\dfrac{1}{10}$배이면 계산 결과도 $\dfrac{1}{10}$배입니다.

5 ⑴ $1.3\times1.5=\dfrac{13}{10}\times\dfrac{15}{10}=\dfrac{195}{100}=1.95$

⑵ $2.8\times3.14=\dfrac{28}{10}\times\dfrac{314}{100}=\dfrac{8792}{1000}=8.792$

6 $0.4\times0.8=\dfrac{4}{10}\times\dfrac{8}{10}=\dfrac{32}{100}=0.32$

7 $9\times0.45=0.45\times9=4.05$

> 참고
>
> 곱해지는 수와 곱하는 수의 순서가 바뀌어도 곱의 결과는 같습니다.

8 0.63×2.1을 0.63의 2배 정도로 어림하면 1.26보다 큰 값이므로 1.323입니다.

9 $0.58\times5=2.9$
➡ $2.9<3$

10 ⎡ $5.42\times10=54.2$
⎢ $5.42\times100=542$
⎣ $5.42\times1000=5420$

12 $1.6\times4=1.6+1.6+1.6+1.6=6.4$ (m)

13 0.03은 $\dfrac{3}{100}$으로 나타내어 계산해야 합니다.

14 ⑴ 28.7의 소수점이 왼쪽으로 2칸 옮겨졌으므로
□$=0.01$입니다.
⑵ 0.59의 소수점이 오른쪽으로 3칸 옮겨졌으므로
□$=1000$입니다.

15 가장 큰 수: 7.3, 가장 작은 수: 3.1
➡ $7.3\times3.1=22.63$

16 (필요한 밀가루의 무게)
$=1.25\times1.2=1.5$ (kg)

17 (학교에서 공원까지의 거리)$=3\times0.7=2.1$ (km)

18 ㉠ 9의 0.48은 9의 0.5인 4.5보다 조금 작습니다.
㉡ 8×0.59는 $8\times0.6=4.8$보다 조금 작습니다.
㉢ 7×0.69는 $7\times0.7=4.9$보다 조금 작습니다.
㉣ 6의 0.91배는 6의 0.9배인 5.4보다 조금 큽니다.

19 $2\times3.9=7.8$, $5\times2.1=10.5$
➡ $7.8<$□<10.5이므로 □ 안에 들어갈 수 있는 자연수는 8, 9, 10으로 모두 3개입니다.

20 1시간 30분$=1\dfrac{30}{60}$시간$=1\dfrac{5}{10}$시간$=1.5$시간
➡ (5일 동안 수진이가 중국어를 공부한 시간)
$=1.5\times5=7.5$(시간)

---

⑤ 직육면체

110 ~ 111쪽 1단계 개념 빠삭

개념 체크 **1** 직육면체 　**2** 나
3 (위에서부터) 꼭짓점, 면 　**4** 9개

▸ 개념 집중 연습

1 가, 라

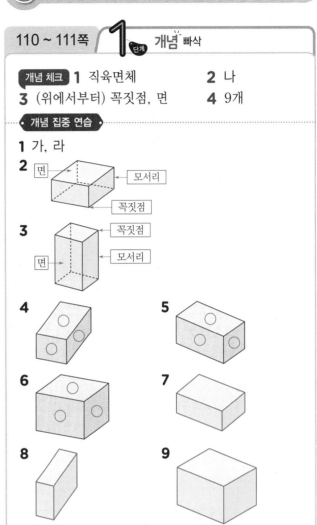

개념 체크

2 직사각형 6개로 둘러싸인 물건을 찾으면 나입니다.
3 모서리와 모서리가 만나는 점이므로 꼭짓점이고, 선분으로 둘러싸인 부분이므로 면입니다.
4 직육면체에서 보이는 모서리는 9개입니다.

> 참고
>
> 직육면체에서 보이는 면은 3개, 보이지 않는 면은 3개입니다.

▸ 개념 집중 연습

1 직사각형 6개로 둘러싸인 도형을 찾으면 가, 라입니다.
2~3 면: 선분으로 둘러싸인 부분
모서리: 면과 면이 만나는 선분
꼭짓점: 모서리와 모서리가 만나는 점
4~6 직육면체에서 보이는 면을 모두 찾아 ◯로 표시합니다.
7~9 직육면체에서 보이는 모서리를 모두 찾아 ─으로 표시합니다.

정답 및 풀이

112 ~ 113쪽 **1**단계 **개념** 빠삭

개념 체크 **1** 정육면체 **2** ( )(○)( )
3 12, 8 **4** 있습니다에 ○표

개념 집중 연습

1 △ **2** ○
3 △ **4** △
5 △ **6** ○
7 12, 8 **8** 6, 12
9 (1) 3 (2) 3 (3) 1

개념 체크

2 정사각형 6개로 둘러싸인 물건을 찾습니다.
3 정육면체의 면의 수, 모서리의 수, 꼭짓점의 수는
 직육면체와 같습니다.
4 정육면체의 면의 모양인 정사각형은 직사각형이라
 고 할 수 있으므로 정육면체는 직육면체라고 할 수
 있습니다.

개념 집중 연습

7 정육면체는 모서리가 12개, 꼭짓점이 8개입니다.

114 ~ 115쪽 **2**단계 **❶~❷ 익힘책** 빠삭

1 모서리, 직육면체
2 (1) 면 (2) 모서리 (3) 꼭짓점
3 ②, ④ **4** 직사각형
5 (1)~(3)

6 (1) ○ (2) ×
7 3, 9, 7 **8** 정사각형, 직육면체
9 나 **10** (1) 6 (2) 12 (3) 8
11 6개
12 (1) 직사각형, 예 정사각형 (2) 있습니다
13 60 cm **14** ㉡

3 직사각형 6개로 둘러싸인 도형을 찾으면 ②, ④입니다.
4 직육면체는 직사각형 6개로 둘러싸인 도형이므로
 색칠한 부분의 모양은 각각 직사각형입니다.
5 직육면체에서 보이는 면, 모서리, 꼭짓점을 찾아 표시
 합니다.

6 (1) 직사각형 6개로 둘러싸인 도형을 직육면체라고
 합니다.
 (2) 직육면체에서 면과 면이 만나는 선분을 모서리라
 고 합니다.
7 직육면체에서 보이는 면은 3개, 보이는 모서리는 9개,
 보이는 꼭짓점은 7개입니다.
9 정사각형 6개로 둘러싸인 도형을 찾으면 나입니다.
10 정육면체의 면, 모서리, 꼭짓점의 수는 직육면체와
 같습니다.
11 보이지 않는 면은 3개, 보이지 않는 모서리는 3개입
 니다. ➡ 3+3=6(개)
12 (2) 정육면체의 면의 모양인 정사각형은 직사각형이
 라고 할 수 있으므로 정육면체는 직육면체라고
 할 수 있습니다.
13 정육면체는 모든 모서리의 길이가 같습니다.
 ➡ 5×12=60 (cm)
14 ㉡ 정육면체는 모서리의 길이가 모두 같습니다.

116 ~ 117쪽 **1**단계 **개념** 빠삭

개념 체크 **1** (1) 밑면 (2) 3 (3) ㅁㅂㅅㅇ
2 (1) 옆면 (2) 4 (3) ㄱㅁㅇㄹ

개념 집중 연습

1 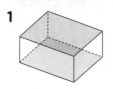 **2**

3 **4**

5 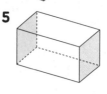 **6**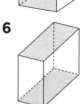

7 면 ㄱㄴㄷㄹ, 면 ㄱㅁㅇㄹ, 면 ㄴㅂㅁㄱ
8 면 ㅁㅂㅅㅇ, 면 ㄷㅅㅇㄹ, 면 ㄴㅂㅅㄷ
9 ㄱㅁㅂㄴ, ㄴㅂㅅㄷ, ㄷㅅㅇㄹ, ㄱㅁㅇㄹ
10 ㄱㄴㄷㄹ, ㄴㅂㅁㄱ, ㄷㅅㅇㄹ, ㅁㅂㅅㅇ

개념 체크

1 (3) 면 ㄱㄴㄷㄹ과 마주 보는 면은 면 ㅁㅂㅅㅇ입니다.

2 (1) 직육면체에서 밑면과 수직인 면을 직육면체의 옆면
이라고 합니다.

(3) 면 ㄷㅅㅇㄹ과 수직인 면을 찾습니다.

● 개념 집중 연습 ●

4~6 서로 마주 보는 면을 찾아 색칠합니다.

7 면 ㅁㅂㅅㅇ과 평행한 면은 면 ㄱㄴㄷㄹ,
면 ㄴㅂㅅㄷ과 평행한 면은 면 ㄱㅁㅇㄹ,
면 ㄷㅅㅇㄹ과 평행한 면은 면 ㄴㅂㅁㄱ입니다.

8 면 ㄱㄴㄷㄹ과 평행한 면은 면 ㅁㅂㅅㅇ,
면 ㄴㅂㅁㄱ과 평행한 면은 면 ㄷㅅㅇㄹ,
면 ㄱㅁㅇㄹ과 평행한 면은 면 ㄴㅂㅅㄷ입니다.

> **참고**
>
> 직육면체에는 평행한 면이 3쌍 있습니다.

9 면 ㄱㄴㄷㄹ과 수직인 면을 찾습니다.
10 면 ㄴㅂㅅㄷ과 수직인 면을 찾습니다.

---

3 보이는 모서리는 실선으로, 보이지 않는 모서리는
점선으로 그린 것을 찾습니다.

● 개념 집중 연습 ●

1~2 직육면체 모양의 물건을 살펴보면 보이는 면, 모서
리, 꼭짓점과 보이지 않는 면, 모서리, 꼭짓점이 있
습니다.

3 보이는 모서리는 실선으로, 보이지 않는 모서리는
점선으로 그린 것을 찾으면 다입니다.

4~6 보이지 않는 모서리 3군데를 찾아 점선으로 나타
냅니다.

7~9 빠진 부분이 보이는 모서리인지 보이지 않는 모서
리인지 알아본 후 보이는 모서리는 실선으로, 보이
지 않는 모서리는 점선으로 나타냅니다.

---

118 ~ 119쪽 **1단계 개념 빠삭**

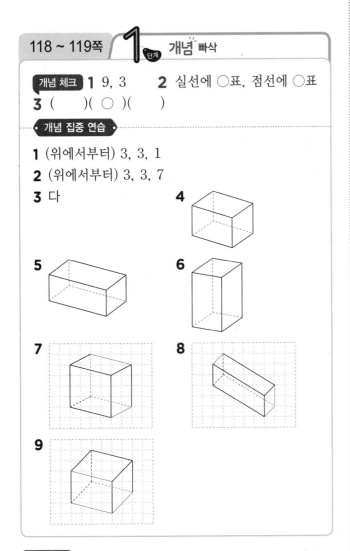

개념 체크 **1** 9, 3 **2** 실선에 ○표, 점선에 ○표
3 ( )(○)( )

● 개념 집중 연습 ●

1 (위에서부터) 3, 3, 1
2 (위에서부터) 3, 3, 7
3 다

개념 체크

1 보이는 모서리: 9개, 보이지 않는 모서리: 3개

---

120 ~ 121쪽 **2단계 ③~④ 익힘책 빠삭**

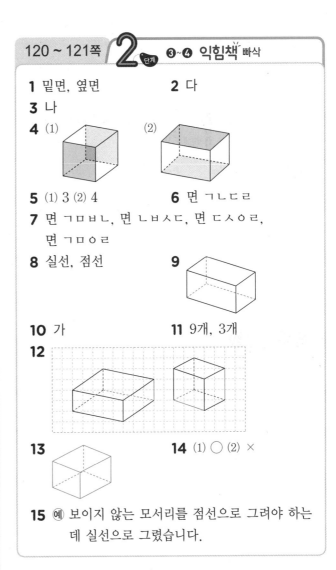

1 밑면, 옆면 **2** 다
3 나
4 (1)   (2)

5 (1) 3 (2) 4 **6** 면 ㄱㄴㄷㄹ
7 면 ㄱㅁㅂㄴ, 면 ㄴㅂㅅㄷ, 면 ㄷㅅㅇㄹ,
면 ㄱㅁㅇㄹ
8 실선, 점선 **9**

10 가 **11** 9개, 3개
12

13 **14** (1) ○ (2) ×

15 예 보이지 않는 모서리를 점선으로 그려야 하는
데 실선으로 그렸습니다.

2 색칠한 면과 평행한 면을 바르게 색칠한 것을 찾으
면 다입니다.
3 색칠한 면과 수직인 면이 아닌 면 즉 평행한 면을
색칠한 것을 찾으면 나입니다.

4 색칠한 면과 평행한 면에 색칠합니다.

5 ⑴ 직육면체에서 밑면은 모두 3쌍입니다.

⑵ 직육면체에서 한 면과 수직으로 만나는 면은 4개
입니다.

6 면 ㅁㅂㅅㅇ과 평행한 면은 면 ㄱㄴㄷㄹ입니다.

7 면 ㅁㅂㅅㅇ과 수직인 면은 면 ㄱㅁㅂㄴ, 면 ㄴㅂㅅㄷ,
면 ㄷㅅㅇㄹ, 면 ㄱㅁㅇㄹ입니다.

10 직육면체의 겨냥도에서 보이는 모서리는 실선으로,
보이지 않는 모서리는 점선으로 그려야 합니다.

11 직육면체에서 보이는 모서리는 9개이고, 보이지 않는
모서리는 3개입니다.

12 직육면체의 겨냥도를 그릴 때 보이는 모서리는 실선
으로, 보이지 않는 모서리는 점선으로 그립니다.

14 ⑵ 보이는 모서리는 실선으로, 보이지 않는 모서리
는 점선으로 그립니다.

15 평가 기준

> 점선을 넣어 바르게 설명했으면 정답입니다.

---

122 ~ 123쪽 **1**단계 개념 빡삭

개념 체크 **1** 전개도 　　**2** 실선

3 점선

4

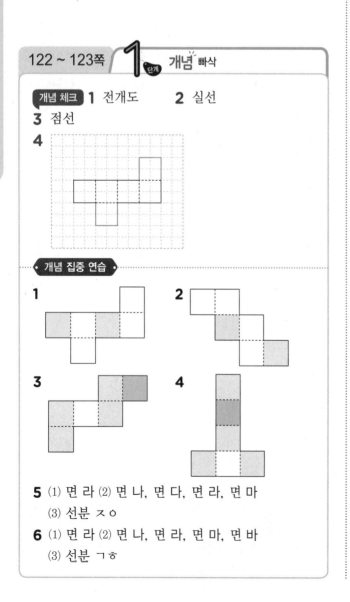

개념 집중 연습

1　　　　　　　　　　**2**

3　　　　　　　　　　**4**

5 ⑴ 면 라 ⑵ 면 나, 면 다, 면 라, 면 마
⑶ 선분 ㅈㅇ

6 ⑴ 면 라 ⑵ 면 나, 면 라, 면 마, 면 바
⑶ 선분 ㄱㅎ

개념 집중 연습

1 색칠한 면과 마주 보는 면을 찾아 색칠해 봅니다.

3~4 색칠한 면과 수직인 면은 정육면체의 옆면입니다.

5 ⑴ 면 나와 마주 보는 면은 면 라입니다.

⑵ 면 가와 수직인 면은 면 바를 제외한 나머지 면입
니다.

⑶ 전개도를 접었을 때 선분 ㄱㄴ은 선분 ㅈㅇ을 만나
한 모서리가 됩니다.

6 ⑴ 면 바와 마주 보는 면은 면 라입니다.

⑵ 면 다와 수직인 면은 면 가를 제외한 나머지 면입
니다.

⑶ 전개도를 접었을 때 선분 ㅅㅇ은 선분 ㄱㅎ을 만나
한 모서리가 됩니다.

---

124 ~ 125쪽 **1**단계 개념 빡삭

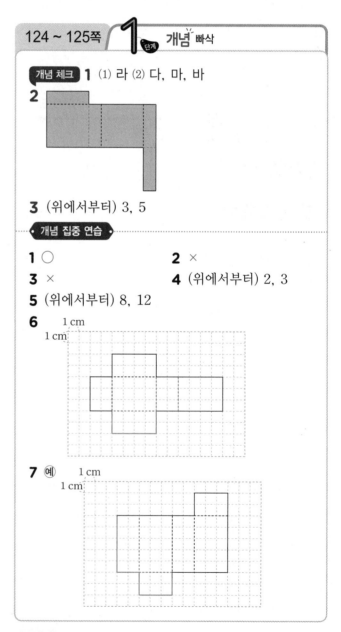

개념 체크 **1** ⑴ 라 ⑵ 다, 마, 바

2

3 (위에서부터) 3, 5

개념 집중 연습

1 ○　　　　　　　　　　**2** ×

3 ×　　　　　　　　　　**4** (위에서부터) 2, 3

5 (위에서부터) 8, 12

6　1 cm
　1 cm

7 예　　1 cm
　　　1 cm

개념 체크

2 잘리지 않는 모서리는 점선으로 나타냅니다.

3 전개도를 접었을 때 서로 만나는 모서리의 길이는 같아야 합니다.

개념 집중 연습

2 만나는 모서리의 길이가 같지 않습니다.

3 서로 겹치는 면이 있습니다.

4~5 직육면체의 전개도에서 서로 마주 보는 면의 모양과 크기가 같고, 전개도를 접었을 때 서로 만나는 모서리의 길이는 각각 같습니다.

6~7 전개도를 접었을 때 서로 만나는 모서리의 길이가 같도록 전개도를 완성합니다.

126 ~ 127쪽 2단계 ⑤~⑥ 익힘책 빠삭

1 실선, 점선 　　　**2** 선분 ㅌㅋ

3

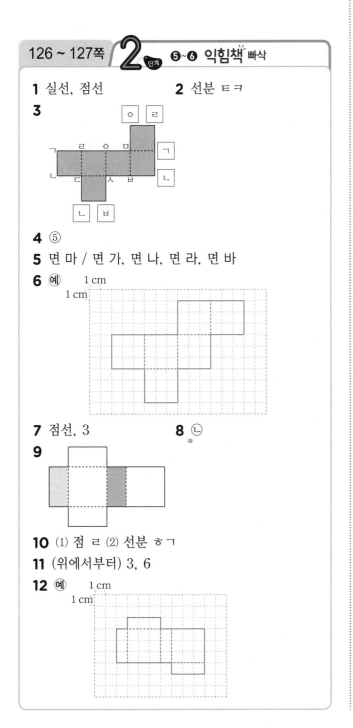

4 ⑤

5 면 마 / 면 가, 면 나, 면 라, 면 바

6 예)　1 cm

7 점선, 3 　　　**8** ㉡

9

10 ⑴ 점 ㄹ ⑵ 선분 ㅎㄱ

11 (위에서부터) 3, 6

12 예)　1 cm

2 전개도를 접었을 때 선분 ㅎㄱ은 선분 ㅌㅋ을 만나 한 모서리가 됩니다.

3 전개도를 접었을 때 만나는 점끼리 같은 기호를 써넣습니다.

4 ⑤ 겹치는 면이 있습니다.

5 면 다와 평행한 면은 면 마입니다.
면 다와 수직인 면은 면 마를 제외한 면 가, 면 나, 면 라, 면 바입니다.

6 모든 면의 모양과 크기가 같게 그리고, 잘린 모서리는 실선으로, 잘리지 않는 모서리는 점선으로 그립니다.

8 ㉡ 면이 6개이어야 하는데 면이 5개입니다.

9 평행한 두 면은 모양과 크기가 같습니다.

10 ⑵ 점 ㅌ과 만나는 점은 점 ㅎ이고, 점 ㅋ과 만나는 점은 점 ㄱ이므로 선분 ㅌㅋ과 겹치는 선분을 찾으면 선분 ㅎㄱ입니다.

11 전개도를 접었을 때 서로 만나는 모서리는 길이가 같습니다.

128 ~ 130쪽 평가 ⑤단원 빠삭

1 다

2 (위에서부터) 꼭짓점, 면, 모서리

3 나　　　**4** 3쌍

5 4개

6

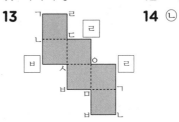

7 7, 7, 7

8 12개 　　　**9**

10 6, 12, 8 / 6, 12, 8

11 직사각형　　　**12** 3개

13　　　**14** ㉡

15 면 ㅋㅌㅈㅊ, 면 ㅎㄷㄹㅍ, 면 ㅌㅅㅇㅈ, 면 ㄹㅁㅂㅅ

16 선분 ㅅㅇ　　　**17** 가

정답 및 풀이

25

18

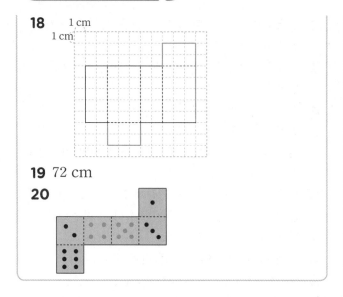

19 72 cm

20

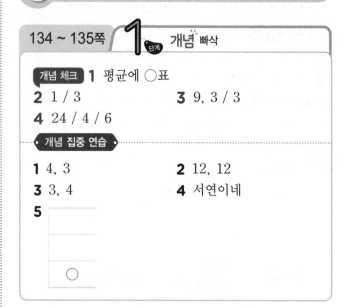

2 면: 선분으로 둘러싸인 부분
모서리: 면과 면이 만나는 선분
꼭짓점: 모서리와 모서리가 만나는 점

3 직육면체의 겨냥도는 보이는 모서리는 실선으로, 보이지 않는 모서리는 점선으로 그립니다.

4 직육면체에는 서로 평행한 면이 모두 3쌍 있습니다.

5 직육면체에서 한 면과 수직으로 만나는 면은 모두 4개입니다.

6 색칠한 면과 평행한 면을 찾아 색칠합니다.

7 정육면체는 모서리의 길이가 모두 같습니다.

8 정육면체는 모서리의 길이가 모두 같고, 모서리는 모두 12개입니다.

9 직육면체의 겨냥도는 보이는 모서리는 실선으로, 보이지 않는 모서리는 점선으로 그립니다.

11 직육면체는 직사각형 6개로 둘러싸인 도형입니다.

12 직육면체의 겨냥도에서 보이지 않는 모서리는 점선으로 나타낸 부분이므로 3개입니다.

13 전개도를 접었을 때 만나는 점끼리 같은 기호를 써넣습니다.

14 ⓒ 모서리의 길이가 모두 같은 도형은 정육면체입니다.

15 색칠한 면과 평행한 면을 제외한 나머지 면을 찾습니다.

16 점 ㅂ과 만나는 점은 점 ㅇ이므로 선분 ㅅㅂ과 겹치는 선분은 선분 ㅅㅇ입니다.

17 정사각형 6개로 둘러싸인 도형은 정육면체입니다. 따라서 지은이가 만든 상자의 모양은 정육면체이므로 가입니다.

18 면이 6개가 되도록 하고 잘린 모서리는 실선으로, 잘리지 않는 모서리는 점선으로 그립니다.

19 정육면체는 길이가 같은 모서리가 12개 있으므로 모든 모서리의 길이의 합은 $6 \times 12 = 72$ (cm)입니다.

20 서로 평행한 두 면을 찾아 마주 보는 면의 눈의 수의 합이 7이 되게 합니다.

---

6 평균과 가능성

134 ~ 135쪽 **1** 단계 개념 빠삭

개념 체크 **1** 평균에 ○표

2 1 / 3   **3** 9, 3 / 3

4 24 / 4 / 6

개념 집중 연습

1 4, 3   **2** 12, 12

3 3, 4   **4** 서연이네

5

○

개념 체크

1 참고

각 자료의 값을 모두 더하여 자료의 수로 나눈 수를 평균이라고 합니다.
(평균)＝(자료의 값을 모두 더한 수)÷(자료의 수)

2 초록색 구슬 1개를 노란색 구슬 쪽으로 옮기면 구슬 수의 평균은 3입니다.

3 (평균)＝$9 \div 3 = 3$

4 (평균)＝(자료의 값을 모두 더한 수)÷(자료의 수)
＝$24 \div 4 = 6$

개념 집중 연습

2 (승우네 모둠)＝$2 + 2 + 3 + 5 = 12$(개),
(서연이네 모둠)＝$5 + 4 + 3 = 12$(개)

3 (승우네 모둠의 제기차기 기록의 평균)
＝$12 \div 4 = 3$(개),
(서연이네 모둠의 제기차기 기록의 평균)
＝$12 \div 3 = 4$(개)

주의

승우네 모둠과 서연이네 모둠의 학생 수가 다르므로 평균을 구할 때 주의해야 합니다.

4 승우네 모둠의 제기차기 기록의 평균은 3개이고, 서연이네 모둠의 제기차기 기록의 평균은 4개이므로 서연이네 모둠이 더 잘했다고 볼 수 있습니다.

5 각 학급의 학생 수 22, 25, 23, 26 중 가장 큰 수나 가장 작은 수로 각 학급당 학생 수를 대표하는 값으로 정할 수 없습니다.

136 ~ 137쪽 1단계 개념 빠삭

개념 체크 1 (1) 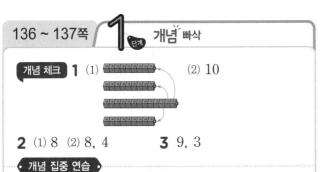 (2) 10

2 (1) 8 (2) 8, 4　　　3 9, 3

개념 집중 연습

1 6　　　　　　　　2 6

3 방법 1 예 3,

		◯	/ 3
◯		◯	
◯	◯	◯	◯
◯	◯	◯	◯
◯	◯	◯	◯
1회	2회	3회	4회

방법 2 5, 12 / 12, 3

4 (왼쪽부터) 32, 32, 3, 99, 3, 33

5 (왼쪽부터) 26, 4, 100, 4, 25

개념 집중 연습

1~2 $(8+7+4+5)÷4=24÷4=6$(번)

3 참고

방법 1 은 투호에 넣은 화살 수의 평균을 예상하고, 예상한 평균을 기준으로 ◯표를 옮겨 화살 수를 고르게 하여 평균을 구하는 방법입니다.
방법 2 는 각각의 화살 수를 모두 더한 후 횟수로 나누어 평균을 구하는 방법입니다.

4 (평균)$=(32+35+32)÷3$
　　　$=99÷3=33$

5 (평균)$=(25+24+25+26)÷4$
　　　$=100÷4=25$

138 ~ 139쪽 1단계 개념 빠삭

개념 체크 1 8, 27, 9　　　2 9, 32, 8

3 준하　　　　　　　4 68 / 68, 39

개념 집중 연습

1 18, 23, 60, 3, 20　　2 20

3 80　　　　　　　　4 24

5 15 / 15, 7　　　　　6 48 / 48, 13

개념 체크

1 (준하네 모둠의 오래 매달리기 기록의 평균)
　$=(10+9+8)÷3=27÷3=9$(초)

2 (지민이네 모둠의 오래 매달리기 기록의 평균)
　$=(7+8+9+8)÷4=32÷4=8$(초)

3 준하네 모둠의 오래 매달리기 기록의 평균은 9초이고 지민이네 모둠의 오래 매달리기 기록의 평균은 8초입니다. 따라서 평균이 더 높은 모둠은 준하네 모둠입니다.

개념 집중 연습

2 건우네 모둠의 100 m 달리기 기록의 평균과 같으므로 민서네 모둠의 100 m 달리기 기록의 평균은 20초입니다.

3 $20×4=80$(초)

4 $80-(21+18+17)=80-56=24$(초)

5 (자료의 값을 모두 더한 수)$=5×3=15$
　➡ ㉠$=15-(6+2)$
　　　$=15-8=7$

6 (자료의 값을 모두 더한 수)$=12×4=48$
　➡ ㉡$=48-(9+13+13)$
　　　$=48-35=13$

참고

자료 ▲개의 평균이 ■이면 자료의 값을 모두 더한 수는 ■ × ▲입니다.

140 ~ 141쪽 2단계 ❶~❸ 익힘책 빠삭

1 평균　　　　　　　2 (있어 , (없어))

3 12개　　　　　　　4 4개

5 자료의 수 / 36, 9

6

7 18명　　　　　　　8 12, 9, 11

9 44, 4, 11　　　　　10 145명, 29명

11 2반　　　　　　　12 (1) 3 (2) 33

13 39마리　　　　　　14 56마리

15 17마리

4 공 12개를 3명이 똑같이 나누어 가지면 한 명이 12÷3＝4(개)씩 가지게 됩니다.

6 어느 달의 날짜별 미술관의 입장객 수를 막대그래프로 나타낸 것을 막대의 높이를 고르게 하면 18명입니다.

9 (자료의 값을 모두 더한 수)
＝10＋13＋12＋9＝44(번)
➡ (평균)＝44÷4＝11(번)

10 (전체 학생 수)＝32＋29＋33＋28＋23＝145(명)
➡ (평균)＝145÷5＝29(명)

11 학생 수가 29명인 반을 찾으면 2반입니다.

13 12＋16＋11＝39(마리)

14 하루 평균 14마리씩 4일 동안 접은 종이학은 모두 14×4＝56(마리)입니다.

> 참고
> (자료의 값을 모두 더한 수)＝(평균)×(자료의 수)

15 (목요일에 접은 종이학의 수)
＝(4일 동안 접은 종이학의 수)
－(월~수요일까지 접은 종이학의 수)
＝56－39＝17(마리)

> 개념 체크

2 내일 오전은 구름은 있지만 해가 보이고 오후는 맑으므로 비가 오지 않을 것입니다.

3 비둘기의 날개는 2개이므로 일어날 가능성은 확실합니다.

> 개념 집중 연습

1 오늘 오후의 날씨는 ☀ 이므로 비가 오지 않을 것입니다.

2 내일은 하루 종일 구름은 있지만 오전에 해가 보이고 비는 오지 않을 것입니다.

3 모레 오전의 날씨는 ☔ 이므로 비가 올 것입니다.
➡ 비가 올 가능성이 있습니다.

6 동전에는 숫자 면과 그림 면이 있으므로 그림 면이 나올 가능성은 '반반이다'입니다.

7 계산기로 ' 0 ＋ 0 ＝ '을 누르면 0이 나오므로 1이 나오는 것은 '불가능하다'입니다.

> 참고
> 어떠한 상황에서 특정한 일이 일어나길 기대할 수 있는 정도를 가능성이라고 합니다.

---

142 ~ 143쪽 1 단계 개념 빠삭

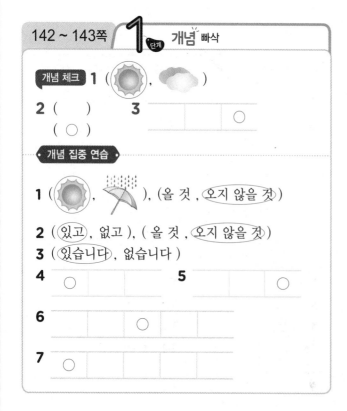

> 개념 체크 **1** (☀, ☁)

2 ( ) **3**
(○) | | ○ |

> 개념 집중 연습

1 (☀, ☔), (올 것, 오지 않을 것)

2 (있고, 없고), (올 것, 오지 않을 것)

3 (있습니다, 없습니다)

4 | ○ | | | **5** | | | ○ |

6 | | ○ | |

7 | ○ | | |

---

144 ~ 145쪽 1 단계 개념 빠삭

> 개념 체크 **1** (1) ㉡ (2) ㉠ (3) ㉢

2 (1) (노란색, 초록색) (2) (노란색, 초록색)

> 개념 집중 연습

1 ㉠
2 ㉤
3 ㉢
4 ㉣
5 ㉡
6 ㉠

> 개념 체크

1~2 참고

> 가능성의 정도는 불가능하다, ~아닐 것 같다, 반반이다, ~일 것 같다, 확실하다 등으로 표현할 수 있습니다.

개념 집중 연습

1 곰은 하늘을 날 수 없습니다. 불가능하므로 ㉠입니다.

2 오후 1시에서 2시간 후는 오후 3시입니다. 확실하므로 ㉻입니다.

3 1부터 100까지의 수 중 1장을 뽑으면 번호가 홀수 또는 짝수입니다. 짝수일 가능성은 반반이므로 ㉢입니다.

4 빨간색이 없는 회전판은 ㉣입니다.

5 회전판에 빨간색이 절반인 것을 찾으면 ㉡입니다.

6 회전판에 빨간색이 가장 많이 색칠된 것을 찾으면 ㉠입니다.

3 꺼낸 바둑돌이 흰색일 가능성은 '불가능하다'이므로 0입니다.

4 꺼낸 바둑돌이 검은색일 가능성은 '확실하다'이므로 1입니다.

5 2개의 공 중 1개가 야구공이므로 공 1개를 꺼낼 때 야구공일 가능성을 말로 표현하면 '반반이다'이고, 이것을 0부터 1까지의 수로 표현하면 $\frac{1}{2}$입니다.

---

146 ~ 147쪽 1단계 개념 빠삭

개념 체크 1 ㉠   **2** ㉢

3 (확실하다 , 반반이다)

4 ($\frac{1}{2}$, 1)

개념 집중 연습

1

```
0          1/2          1
```

2

```
0          1/2          1
```

3 0   **4** 1

5 (불가능하다 , 반반이다 , 확실하다), 2

6 (불가능하다 , 반반이다 , 확실하다), $\frac{1}{2}$

개념 체크

3~4 2개의 공 중 1개가 초록색이므로 공 1개를 꺼낼 때 초록색일 가능성을 말로 표현하면 '반반이다'이고, 수로 표현하면 $\frac{1}{2}$입니다.

개념 집중 연습

1 꺼낸 바둑돌이 흰색일 가능성은 '확실하다'이므로 1에 표시합니다.

2 꺼낸 바둑돌이 검은색일 가능성은 '불가능하다'이므로 0에 표시합니다.

---

148 ~ 149쪽 2단계 ④~⑥ 익힘책 빠삭

1 (확실하다 , 불가능하다)

2 ㉡   **3**

4 ○

5 ㉣, ㉻   **6** ㉢

7 ㉡   **8** ㉠, ㉢, ㉡

9 ④   **10**

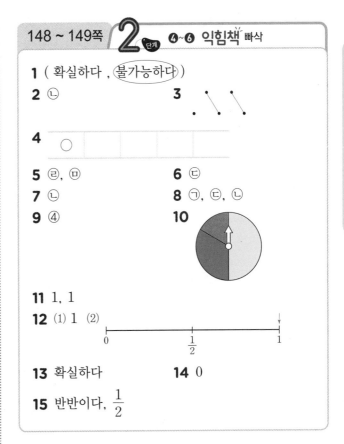

11 1, 1

12 (1) 1 (2)
```
0          1/2          1
```

13 확실하다   **14** 0

15 반반이다, $\frac{1}{2}$

---

6 ㉢ 내일은 오늘보다 기온이 올라갈 수도 있고 내려갈 수도 있습니다.

7 ㉡ 해는 동쪽에서 뜨고 서쪽으로 집니다.

9 화살이 보라색에 멈출 가능성이 높은 회전판부터 순서대로 쓰면 ①, ②, ③, ⑤, ④입니다.

10 화살이 노란색에 멈출 가능성이 가장 높기 때문에 회전판에서 가장 넓은 곳이 노란색입니다. 다음으로 넓은 부분에 빨간색, 가장 좁은 부분에 파란색을 칠합니다.

12 ⑴ 분홍색을 맞힐 가능성은 확실하므로 1입니다.

13 당첨 제비만 3개 들어 있으므로 뽑은 제비 1개가 당첨 제비일 가능성은 '확실하다'입니다.

14 뽑은 제비가 당첨 제비가 아닐 가능성은 '불가능하다'이므로 수로 표현하면 0입니다.

15 구슬을 꺼낼 때 나올 수 있는 구슬의 수는 1개, 2개, 3개, 4개로 4가지 경우가 있고 홀수인 경우와 짝수인 경우는 각각 2가지 경우입니다.
따라서 짝수일 가능성은 '반반이다'이며 수로 표현하면 $\frac{1}{2}$입니다.

---

150 ~ 152쪽 **평가** ⑥**단원** 빠삭

1 32, 99
2 99, 33
3 (○)( )
4 15, 13, 15
5

				/ 3개
○	○	○	○	
○	○	○	○	
○	○	○	○	
3월	4월	5월	6월	

6 3개

7

		○	

8 (위에서부터) ~일 것 같다, 불가능하다

9 $\frac{1}{2}$
10 93점

11 453 cm
12 153 cm

13

0            $\frac{1}{2}$ 1

14 0
15 반반이다, $\frac{1}{2}$

16 ㉢, ㉡, ㉠

17

18 2 L

19 110명, 108명
20 민서

2 (평균)=(자료의 값을 모두 더한 수)÷(자료의 수)

---

3 길에서 한 명을 만날 때 만난 사람이 남자일 가능성
➡ 반반이다

5 칭찬 도장의 수를 고르게 하면 3, 3, 3, 3이 됩니다.

6

➡ (2+1+5+4)÷4
  =12÷4=3(개)

7 주사위에서 나올 수 있는 수는 1, 2, 3, 4, 5, 6으로 6가지 경우가 있고 이 중 홀수는 3가지로 홀수가 나올 가능성은 '반반이다'입니다.

9 구슬 2개 중 1개가 초록색이므로 구슬을 1개 꺼낼 때 초록색일 가능성은 $\frac{1}{2}$입니다.

10 (평균 점수)=(92+92+96+92)÷4
    =372÷4=93(점)

11 3명의 평균 키가 151 cm이므로 키의 합은
151×3=453 (cm)입니다.

12 (진영이의 키)=453−(147.3+152.7)
    =453−300=153 (cm)

13 분홍색을 맞힐 가능성은 '반반이다'이므로 $\frac{1}{2}$입니다.

14 주머니에서 500원짜리 동전을 꺼내는 것은 '불가능하다'이므로 수로 나타내면 0입니다.

15 ○× 문제의 정답이 ×일 가능성은 '반반이다'이며 수로 표현하면 $\frac{1}{2}$입니다.

17 회전판에서 가장 좁은 곳은 보라색입니다. 다음으로 좁은 부분에 초록색, 가장 넓은 부분에 주황색을 칠합니다.

18 (5일 동안 마신 물의 양)=10 L
➡ (하루에 마신 물의 양의 평균)=10÷5=2 (L)

19 2017년: (평균)=(97+131+102)÷3=330÷3
      =110(명)
2018년: (평균)=(96+110+97+129)÷4
      =432÷4
      =108(명)

20 두 연도의 참여 학년 수가 다르기 때문에 총 참여 학생 수만으로 어느 연도에 한 학년당 참여한 학생 수가 더 많다고 말할 수 없습니다. 따라서 각 연도의 한 학년당 참여한 학생 수의 평균을 구해 비교해야 합니다.

1 ~ 2쪽 | 1단원 | **익힘책** 다지기

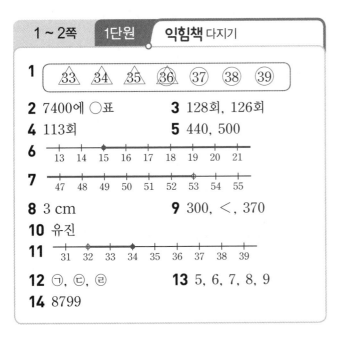

1 ㉝ ㉞ ㉟ ㊱ ㊲ ㊳ ㊴

2 7400에 ○표
3 128회, 126회
4 113회
5 440, 500

6 (수직선: 13 14 15 16 17 18 19 20 21)

7 (수직선: 47 48 49 50 51 52 53 54 55)

8 3 cm
9 300, <, 370

10 유진

11 (수직선: 31 32 33 34 35 36 37 38 39)

12 ㉠, ㉢, ㉣
13 5, 6, 7, 8, 9

14 8799

---

6 15 이상인 수는 수직선의 15에 ●을 이용하여 표시하고 15의 오른쪽으로 선을 그어 나타냅니다.

8 2.8을 반올림하여 일의 자리까지 나타내면 소수 첫째 자리 숫자가 8이므로 올림하여 3이 됩니다.

11 은호의 몸무게는 33.8 kg이므로 체급으로 보면 플라이급에 속합니다. 플라이급의 몸무게 범위는 32 kg 초과 34 kg 이하이므로 수직선에 32 초과인 수는 ○을 이용하여 나타내고, 34 이하인 수는 ●을 이용하여 나타냅니다.

> **참고**
>
> ■ 초과 ▲ 이하인 수에 ■는 포함되지 않고 ▲는 포함됩니다.

12 ㉠ 65와 같거나 큰 수이며, 67보다 작은 수의 범위이므로 65가 포함됩니다.

㉡ 65보다 크고, 68과 같거나 작은 수의 범위이므로 65가 포함되지 않습니다.

㉢ 64보다 크고, 67보다 작은 수의 범위이므로 65가 포함됩니다.

㉣ 62와 같거나 큰 수이며, 65와 같거나 작은 수의 범위이므로 65가 포함됩니다.

13 주어진 수의 십의 자리 숫자가 2인데 반올림하여 십의 자리까지 나타낸 수는 6730으로 십의 자리 숫자가 3이 되었으므로 일의 자리에서 올림한 것을 알 수 있습니다.

➡ 일의 자리 숫자가 5, 6, 7, 8, 9 중 하나여야 합니다.

14 버림하여 백의 자리까지 나타내면 8700이 되는 자연수는 87□□입니다. □□에는 0부터 99까지 들어갈 수 있으므로 이 중에서 가장 큰 자연수는 8799입니다.

3 ~ 4쪽 | 1단원 | **서술형** 연습

1 46세, 43세, 19세
2 ㉡, ㉢
3 36 kg
4 건희, 재호
5 9대
6 273상자
7 (1) 춘천 / 서울, 대전, 광주 / 부산 / 제주
　(2) 서울, 대전, 광주
8 (1) 7542　(2) 7500

---

1 19 이상인 수는 19와 같거나 큰 수입니다.

2 자동차들 중에서 높이가 3.5 m 미만, 즉 350 cm보다 낮아서 도로 아래를 통과할 수 있는 자동차는 ㉡ 340 cm, ㉢ 335 cm입니다.

3 35.8을 반올림하여 일의 자리까지 나타내면 소수 첫째 자리 숫자가 8이므로 올림하여 36이 됩니다.

4 키가 130 cm 미만이거나 150 cm 이상인 사람은 놀이 기구를 탈 수 없습니다.

➡ 150과 같거나 큰 수를 찾으면 150.0, 154.2이므로 이 놀이 기구를 탈 수 없는 사람은 건희, 재호입니다.

5 배 832상자를 트럭 한 대당 100상자씩 싣는다면 트럭 8대에 100상자씩 싣고 남은 32상자를 실을 트럭 한 대가 더 필요합니다.

➡ 배 832상자를 트럭에 모두 실으려면 트럭이 최소 9대 필요합니다.

6 공장에서 만든 젤리를 10봉지씩 상자에 담으면 273상자에 10봉지씩 담고 8봉지가 남습니다.

➡ 상자에 담아서 팔 수 있는 젤리는 최대 273상자입니다.

7 (2) 13 초과 15 이하는 13보다는 크고, 15와 같거나 작은 수의 범위입니다.

➡ 주어진 기온의 범위에 속하는 도시는 서울, 대전, 광주입니다.

8 (1) 천의 자리부터 가장 큰 수를 차례로 써서 네 자리 수를 만듭니다. ➡ 7542

(2) 7542를 반올림하여 백의 자리까지 나타내면 십의 자리 숫자가 4이므로 버림하여 7500이 됩니다.

1 (○)(   )(○)   **2** 1, 4, $\frac{5}{24}$

3 방법① 7, $\frac{7}{4}$, $1\frac{3}{4}$ / 방법② 4, $\frac{7}{4}$, $1\frac{3}{4}$ /

방법③ 1, $\frac{7}{4}$, $1\frac{3}{4}$

4 $2\frac{1}{3}\times5=\frac{7}{3}\times5=\frac{35}{3}=11\frac{2}{3}$ **5** $1\frac{2}{5}$

6 ⤬   **7** $\frac{1}{14}$ **8** >

9

$\boxed{3\times1\frac{4}{5}}$ $\triangle 3\times\frac{1}{4}$ $\triangle 3\times\frac{5}{6}$ $\boxed{3\times2\frac{1}{8}}$

10 $5\frac{2}{3}$ cm   **11** 28

12 은주   **13** 7, 8 (또는 8, 7)

14 가

5 $2\frac{4}{5}\times\frac{1}{2}=\overset{7}{\cancel{\frac{14}{5}}}\times\frac{1}{\cancel{2}_1}=\frac{7}{5}=1\frac{2}{5}$

7 $\cancel{\frac{5}{7}}^{1}\times\frac{1}{\cancel{6}_2}\times\frac{\cancel{3}^1}{\cancel{5}_1}=\frac{1}{14}$

10 $1\frac{5}{12}\times4=\frac{17}{\cancel{12}_3}\times\cancel{4}^1=\frac{17}{3}=5\frac{2}{3}$ (cm)

11 $\frac{1}{3}\times\frac{1}{9}=\frac{1}{27}>\frac{1}{\square}$

➡ 27<□이므로 □ 안에 들어갈 수 있는 가장 작은 자연수는 28입니다.

12 • 1시간은 60분이므로 1시간의 $\frac{1}{3}$은 20분입니다.

• 1 L는 1000 mL이므로 1 L의 $\frac{1}{2}$은 500 mL입니다.

13 $\frac{1}{\square}\times\frac{1}{\square}$에서 분모에 큰 수가 들어갈수록 계산 결과가 작아집니다. 따라서 두 장의 카드를 사용하여 계산 결과가 가장 작은 식을 만들려면 수 카드 7과 8을 사용해야 합니다.

14 가: $1\frac{1}{7}\times1\frac{1}{7}=\frac{8}{7}\times\frac{8}{7}=\frac{64}{49}=1\frac{15}{49}$ (cm²)

나: $1\frac{3}{7}\times\frac{6}{7}=\frac{10}{7}\times\frac{6}{7}=\frac{60}{49}=1\frac{11}{49}$ (cm²)

1 $\frac{7}{8}\times6=5\frac{1}{4}$, $5\frac{1}{4}$ L **2** $8\times4\frac{1}{2}=36$, 36 m²

3 $\frac{3}{5}\times\frac{2}{3}=\frac{2}{5}$, $\frac{2}{5}$ **4** $4\frac{1}{3}\times1\frac{4}{5}=7\frac{4}{5}$, $7\frac{4}{5}$ km

5 $\frac{9}{56}$ m   **6** $\frac{1}{15}$

7 (1) $\frac{1}{3}$ (2) 60쪽

8 (1) $8\frac{2}{3}$ (2) $2\frac{3}{8}$ (3) $20\frac{7}{12}$

1 (전체 음료수의 양)
= (한 병에 들어 있는 음료수의 양)×(병 수)
$=\frac{7}{8}\times\cancel{6}^3=\frac{21}{4}=5\frac{1}{4}$ (L)

2 (텃밭의 넓이)=(가로)×(세로)
$=8\times4\frac{1}{2}=\cancel{8}^4\times\frac{9}{\cancel{2}_1}=36$ (m²)

3 남학생은 전체의 $\frac{3}{5}$이므로 축구를 좋아하는 남학생은 명수네 반 전체의 $\cancel{\frac{3}{5}}^1\times\frac{2}{\cancel{3}_1}=\frac{2}{5}$입니다.

4 (자전거를 타고 달린 거리)
= (한 시간에 달린 거리)×(달린 시간)
$=4\frac{1}{3}\times1\frac{4}{5}=\frac{13}{\cancel{3}_1}\times\frac{\cancel{9}^3}{5}=\frac{39}{5}=7\frac{4}{5}$ (km)

5 $\frac{7}{10}$을 사용하였으므로 남은 철사는 $\frac{3}{10}$입니다.

➡ (남은 철사의 길이)$=\frac{15}{28}\times\frac{\cancel{3}^3}{\cancel{10}_2}=\frac{9}{56}$ (m)

6 민수네 학교 5학년 학생 중에서 수학을 좋아하는 남학생은 전체의 $\frac{\cancel{2}^1}{\cancel{9}_3}\times\frac{1}{\cancel{2}_1}\times\frac{\cancel{3}^1}{5}=\frac{1}{15}$입니다.

7 (1) (오늘 읽은 양)$=\frac{\cancel{3}^1}{\cancel{4}_1}\times\frac{\cancel{4}^1}{\cancel{9}_3}=\frac{1}{3}$

(2) (오늘 읽은 쪽수)$=\overset{60}{\cancel{180}}\times\frac{1}{\cancel{3}_1}=60$(쪽)

8 (3) $8\frac{2}{3}\times2\frac{3}{8}=\frac{\cancel{26}^{13}}{3}\times\frac{19}{\cancel{8}_4}=\frac{247}{12}=20\frac{7}{12}$

1 (　　)(○)

2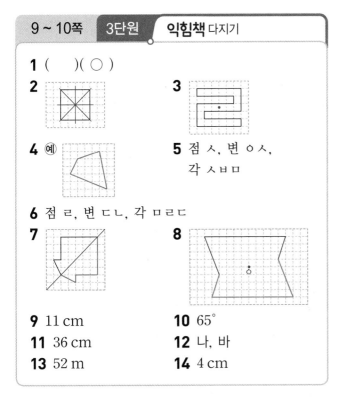

3

4 예

5 점 ㅅ, 변 ㅇㅅ,
　　각 ㅅㅂㅁ

6 점 ㄹ, 변 ㄷㄴ, 각 ㅁㄹㄷ

7

8

9 11 cm

10 65°

11 36 cm

12 나, 바

13 52 m

14 4 cm

2 도형을 완전히 겹치도록 접었을 때 접은 직선을 모두 찾아 긋습니다.

5 대칭축을 따라 접어서 완전히 포개어 보면 점 ㄷ과 점 ㅅ, 변 ㄴㄷ과 변 ㅇㅅ, 각 ㄷㄹㅁ과 각 ㅅㅂㅁ이 겹칩니다.

8 ① 각 점에서 대칭의 중심을 지나는 직선을 긋습니다.
　② 각 점에서 대칭의 중심까지의 길이가 같도록 대응점을 찾아 표시합니다.
　③ 각 대응점을 이어 점대칭도형을 완성합니다.

9 변 ㄹㄷ의 대응변은 변 ㅁㅂ이므로 변 ㄹㄷ은 11 cm입니다.

10 각 ㄱㄹㄷ의 대응각은 각 ㅇㅁㅂ이므로 각 ㄱㄹㄷ은 65°입니다.

11 (사각형 ㄱㄴㄷㄹ의 둘레)
　=9+4+12+11=36 (cm)

13 삼각형 ㄱㄴㅁ과 삼각형 ㄹㅁㄷ이 서로 합동이므로 변 ㄱㄴ과 변 ㄹㅁ, 변 ㅁㄱ과 변 ㄷㄹ의 길이가 같습니다.
　(변 ㄱㄴ)=5 m, (변 ㄷㄹ)=11 m이므로 울타리를 5+20+11+5+11=52 (m) 쳐야 합니다.

14 (변 ㅈㅅ)=(변 ㄹㄷ)=5 cm, (변 ㄹㅁ)=(변 ㅈㄱ)=6 cm, (변 ㄱㄴ)=(변 ㅁㅂ)=3 cm이므로
　(변 ㄴㄷ)+(변 ㅂㅅ)
　=36-(6+3+5+6+3+5)=8 (cm)입니다.
　따라서 변 ㄴㄷ과 변 ㅂㅅ의 길이가 같으므로 변 ㄴㄷ은 4 cm입니다.

1 3쌍, 3쌍, 3쌍　　　**2** 80°

3 9 cm, 105°　　　**4** 5 cm, 30°

5 3개　　　**6** 28 cm

7 (1) 24 cm　(2) 192 cm²

8 (1) 140°　(2) 360°　(3) 40°

1 두 도형은 서로 합동인 삼각형이므로 대응점, 대응변, 대응각이 각각 3쌍 있습니다.

2 각 ㅅㅇㅁ의 대응각은 각 ㄴㄱㄹ입니다.
　➡ (각 ㅅㅇㅁ)=(각 ㄴㄱㄹ)=80°

3 • 변 ㄷㄹ의 대응변은 변 ㄱㅂ이므로 변 ㄷㄹ은 9 cm입니다.
　• 각 ㄴㄱㅂ의 대응각은 각 ㄴㄷㄹ이므로 각 ㄴㄱㅂ은 105°입니다.

4 • 대칭의 중심은 대응점을 이은 선분을 똑같이 둘로 나눕니다.
　➡ (선분 ㄴㅇ)=(선분 ㄴㄹ)÷2
　　　　　　　=10÷2=5 (cm)
　• 대응각의 크기는 서로 같습니다.
　➡ (각 ㄹㄱㄴ)=(각 ㄴㄷㄹ)=30°

5
　➡ 3개　∟ 대칭축이 셀 수 없이 많음.

참고

대칭축이 여러 개일 때 모든 대칭축은 한 점에서 만납니다.

6 합동인 도형에서 대응변의 길이는 서로 같습니다.
　➡ (변 ㄱㄴ)=(변 ㄹㅂ)=10 cm
　따라서 삼각형 ㄱㄴㄷ의 둘레는
　10+12+6=28 (cm)입니다.

7 (1) 선분 ㄷㄹ의 대응변은 선분 ㄴㄹ이므로 선분 ㄷㄹ은 12 cm입니다.
　➡ (변 ㄴㄷ)=12×2=24 (cm)
　(2) (삼각형 ㄱㄴㄷ의 넓이)
　　=24×16÷2=192 (cm²)

8 (1) 점대칭도형에서 대응각의 크기는 서로 같습니다.
　➡ (각 ㄴㄷㄹ)=(각 ㄹㄷㄴ)=140°
　(2) 사각형의 네 각의 크기의 합은 360°입니다.
　(3) (각 ㄱㄴㄷ)=(360°-140°-140°)÷2
　　　　　　　=80°÷2=40°

13 ~ 14쪽　4단원　익힘책 다지기

1 방법① 0.6, 0.6, 1.8
　방법② 6, 6, 3, 18, 1.8
　방법③ 6, 6, 3, 18, 1.8

2 $3 \times 0.8 = 3 \times \dfrac{8}{10} = \dfrac{3 \times 8}{10} = \dfrac{24}{10} = 2.4$ /

$3 \times 8 = 24$
$\quad\Big\downarrow \dfrac{1}{10}$배　$\Big\downarrow \dfrac{1}{10}$배
$3 \times 0.8 = 2.4$

3 $3.2 \times 2.6 = \dfrac{32}{10} \times \dfrac{26}{10} = \dfrac{832}{100} = 8.32$

4 25.2　　　　　**5** $1.49 \times 3.8 = 5.6\cancel{6}2$

6 0.56, 0.032　**7** ㉡

8 ㉡　　　　　**9** 지우

10 36.078　　**11** 0.31, 0.164

12 4.5 km　　**13** 위안

14 4.5, 0.2(또는 0.45, 2)

4 $18 \times 1.4 = 18 \times \dfrac{14}{10} = \dfrac{18 \times 14}{10} = \dfrac{252}{10} = 25.2$

5 1.49×3.8을 1.5의 4배 정도로 어림하면 6보다 더 작은 값이므로 $1.49 \times 3.8 = 5.662$입니다.

7 ㉠ 4.7×2는 4와 2의 곱인 8보다 큽니다.
　㉡ 1.9×4는 2와 4의 곱인 8보다 작습니다.
　㉢ 2.3×4는 2와 4의 곱인 8보다 큽니다.
　➡ 계산 결과가 8보다 작은 것은 ㉡입니다.

8 ㉠ 17의 0.1은 1.7입니다.
　㉡ 170의 0.001배는 0.17입니다.
　㉢ 0.17×10은 1.7입니다.
　➡ 계산 결과가 다른 것은 ㉡입니다.

9 51과 8의 곱이 약 400이므로 51의 0.01배인 0.51 과 8의 곱은 400의 0.01배이므로 40 정도가 아니라 4 정도입니다.

10 $85.9 > 15.63 > 7.4 > 0.42$이므로 가장 큰 수는 85.9이고, 가장 작은 수는 0.42입니다.
　➡ $85.9 \times 0.42 = 36.078$

11 ・1.64는 164의 0.01배인데 0.5084는 5084의 0.0001배입니다.
　➡ □ 안에 알맞은 수는 31의 0.01배인 0.31입니다.
　・3100은 31의 100배인데 508.4는 5084의 0.1배 입니다.
　➡ □ 안에 알맞은 수는 164의 0.001배인 0.164 입니다.

13 우리나라 돈 1000원이 중국 돈으로 약 6위안이고, 말레이시아 돈으로 약 4링키트입니다.
　➡ 5000원은 중국 돈으로 약 30위안이고, 말레이 시아 돈으로 약 20링키트입니다.

14 0.45×0.2는 0.09여야 하는데 잘못 눌러서 0.9가 나왔으므로 4.5와 0.2를 눌렀거나 0.45와 2를 누른 것입니다.

15 ~ 16쪽　4단원　서술형 연습

1 $1.4 \times 5 = 7$, 7시간

2 $38 \times 1.3 = 49.4$, 49.4 kg

3 $2.4 \times 1.2 = 2.88$, 2.88 m²

4 $0.6 \times 0.72 = 0.432$, 0.432 kg

5 $230 \times 0.35 = 80.5$, 80.5 L

6 주은이의 언니

7 (1) 3일　(2) 1.5 L　(3) 2개

8 (1) 12 m　(2) 12.3 m　(3) 147.6 m²

1 (5일 동안 영어 공부를 하는 시간)
　＝(하루에 영어 공부를 하는 시간)×(날수)
　＝$1.4 \times 5 = 7$(시간)

2 (형의 몸무게)＝(경민이의 몸무게)×1.3
　　　　　　　＝$38 \times 1.3 = 49.4$ (kg)

3 (학급 게시판의 넓이)＝(가로)×(세로)
　　　　　　　　　　＝$2.4 \times 1.2 = 2.88$ (m²)

4 탄수화물 성분이 0.6 kg의 0.72만큼이므로
　$0.6 \times 0.72 = 0.432$ (kg)입니다.

5 (성우네 가족이 하루 동안 아낄 수 있는 물의 양)
　＝$230 \times 0.35 = 80.5$ (L)

6 주은이의 언니가 키우는 식물의 길이를 cm 단위로 나 타내면 1 m＝100 cm이므로 0.436 m는 43.6 cm 입니다.
　➡ 43.6 cm와 40.5 cm를 비교하면 주은이의 언니 가 키우는 식물이 더 깁니다.

7 (1) 월요일, 수요일, 금요일로 모두 3일입니다.
　(2) 우유를 0.5 L씩 3일 마시게 되므로
　　　$0.5 \times 3 = 1.5$ (L)입니다.
　(3) 필요한 우유가 1.5 L이므로 1 L짜리 우유를 적 어도 2개 사야 합니다.

8 (1) (새로운 텃밭의 가로)＝$8 \times 1.5 = 12$ (m)
　(2) (새로운 텃밭의 세로)＝$8.2 \times 1.5 = 12.3$ (m)
　(3) (새로운 텃밭의 넓이)＝$12 \times 12.3 = 147.6$ (m²)

1 ①, ⑤ **2** 영주

3 ㉢ **4** 3개, 9개, 7개

5 ②

6

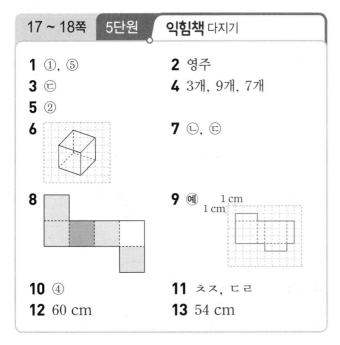

7 ㉡, ㉢

8

9 (예)

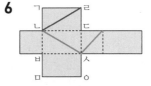

10 ④ **11** ㅊㅈ, ㄷㄹ

12 60 cm **13** 54 cm

2 직사각형 6개로 둘러싸인 도형의 물건을 가지고 있는 사람은 영주입니다.

3 ㉠ 면 ㄴㅂㅅㄷ과 면 ㄱㄴㄷㄹ은 서로 수직입니다.
㉡ 면 ㅁㅂㅅㅇ과 면 ㄱㅁㅇㄹ은 서로 수직입니다.

5 ② 면 ㅁㅂㅅㅇ과 면 ㄱㄴㄷㄹ은 서로 평행한 면입니다.

6 보이는 모서리는 실선으로 그리고, 보이지 않는 모서리는 점선으로 그립니다.

> **주의**
> 직육면체의 겨냥도는 보이는 모서리와 보이지 않는 모서리를 구분하여 그려야 합니다.

7 ㉡ 접었을 때 겹치는 면이 있습니다.
㉢ 면의 수가 5개입니다.

8 색칠한 면과 평행한 면을 제외한 모든 면이 수직입니다.

9 마주 보는 3쌍의 면의 모양과 크기가 같게 그리고, 접었을 때 서로 겹치는 면이 없고 만나는 모서리의 길이가 같도록 그립니다.

11 전개도를 접었을 때 선분 ㅂㅅ은 선분 ㅊㅈ을 만나한 모서리가 되고, 선분 ㄱㅎ은 선분 ㄷㄹ을 만나한 모서리가 됩니다.

12 정육면체의 모서리 길이는 모두 같으므로 주사위의 모서리 길이는 모두 5 cm이고, 모서리의 수는 12개입니다.
➡ 모든 모서리 길이의 합은 5×12=60 (cm)입니다.

13 보이는 모서리 길이는 5 cm가 6개, 8 cm가 3개입니다. ➡ 5×6+8×3=54 (cm)

1 면 ㄱㄴㄷㄹ, 면 ㄴㅂㅅㄷ, 면 ㅁㅂㅅㅇ, 면 ㄱㅁㅇㄹ

2 4개

3 모범 답안 직육면체는 직사각형 6개로 둘러싸인 도형인데 주어진 도형은 사다리꼴 4개와 직사각형 2개로 둘러싸여 있습니다.

4 20 cm **5** 6 cm

6

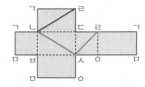

7 (1) 6개, 12개, 8개 (2) 10개

8 (1) 16 cm (2) 6 cm (3) 22 cm

1 색칠한 면과 평행한 면을 제외한 나머지 4개의 면을 씁니다.

2 보이지 않는 면은 3개, 보이지 않는 꼭짓점은 1개입니다. ➡ 3+1=4(개)

3 평가 기준

> 직사각형 6개로 둘러싸여 있지 않다는 말을 넣어 이유를 바르게 썼으면 정답입니다.

4 면 ㄱㄴㄷㄹ과 평행한 면은 면 ㅁㅂㅅㅇ이므로 모서리의 길이는 7 cm, 3 cm, 7 cm, 3 cm입니다.
➡ (모서리 길이의 합)=7+3+7+3=20 (cm)

5 정육면체는 12개의 모든 모서리의 길이가 같으므로 한 모서리의 길이는 72÷12=6 (cm)입니다.

6 전개도에서 만나는 점을 표시하여 점 ㄴ에서 점 ㅅ까지, 점 ㄹ과 만나는 점에서 점 ㅅ까지 선을 긋습니다.

7 (1) 직육면체의 면은 6개, 모서리는 12개, 꼭짓점은 8개입니다.
(2) (모서리의 수)−(꼭짓점의 수)+(면의 수)
=12−8+6=10(개)

8 (1) 색칠한 부분의 모양은 직사각형이고, 전개도를 접었을 때 만나는 모서리의 길이는 같으므로 가로는 4+4+4+4=16 (cm)입니다.
(3) (가로)+(세로)=16+6=22 (cm)

1 ㉢   **2** 24명

3 140, 230, 110, 180, 4 /
660, 4 / 165

4 '확실하다'에 ○표

5
```
0 ────────── 1/2 ────────── 1 ↑
```

6
```
0 ────────── ↓ 1/2 ────────── 1
```

7
```
0 ────────── ↓ 1/2 ────────── 1
```

8 3개, 4개   **9** 국주   **10** ㉠

11 15명   **12** 불가능하다   **13** $\frac{1}{2}$

14

7 초록색과 보라색이 회전판의 반씩 색칠된 회전판 다를 돌릴 때 화살이 초록색에 멈출 가능성은 '반반이다'이므로 수로 표현하면 $\frac{1}{2}$입니다.

8 (세화의 평균 기록)=(2+5+2+3)÷4=3(개)
(국주의 평균 기록)=(3+5+4)÷3=4(개)

10 ㉠ 파란색 공이 나올 가능성은 '반반이다'이므로 수로 표현하면 $\frac{1}{2}$입니다.
㉡ 노란색 구슬이 나올 가능성은 '불가능하다'이므로 수로 표현하면 0입니다.

11 남학생 수의 평균이 13명이므로 다섯 반의 남학생 수는 모두 13×5=65(명)입니다.
(지반의 남학생 수)=65-(8+17+11+14)=15(명)

13 주사위 눈의 수가 짝수 2, 4, 6일 가능성은 '반반이다'이므로 수로 표현하면 $\frac{1}{2}$입니다.

14 화살이 빨간색에 멈출 가능성이 가장 높기 때문에 회전판에서 가장 넓은 곳이 빨간색이 됩니다. 화살이 노란색에 멈출 가능성이 파란색에 멈출 가능성의 2배이므로 가장 좁은 부분에 파란색을 색칠하고, 파란색을 색칠한 부분의 넓이의 2배인 부분에 노란색을 색칠하면 됩니다.

1 확실하다   **2** 91점

3 $\frac{1}{2}$ **4** 16문제

5 나   **6** 101

7 (1) 반반이다, $\frac{1}{2}$ (2) 예

8 (1) 12살   (2) 65살   (3) 17살

2 (평균 점수)=(92+94+90+88)÷4
=364÷4=91(점)

3 그림 면, 숫자 면 중 숫자 면이 나올 가능성은 '반반이다'이므로 수로 표현하면 $\frac{1}{2}$입니다.

4 (평균)=(자료 값의 합)÷(자료의 수)이고 자료 값의 합이 80문제, 자료의 수가 5일입니다.
➜ (하루에 푼 평균 문제 수)=80÷5=16(문제)

5 나: 회전판에서 파란색은 전체의 $\frac{1}{2}$이고, 빨간색과 노란색은 각각 전체의 $\frac{1}{4}$이므로 빨강 12회, 파랑 24회, 노랑 12회인 표와 일이 일어날 가능성이 가장 비슷합니다.

6 (네 경기 동안 평균 점수)
=(100+103+97+104)÷4
=404÷4=101(점)
➜ 농구 팀이 다섯 경기 동안 얻은 점수의 평균이 네 경기 동안 얻은 점수의 평균보다 높으려면 다섯 번째 경기에서는 101점보다 높은 점수를 얻어야 합니다.

7 (1) 꺼낸 구슬의 개수가 짝수인 경우는 2개, 4개, 6개, 8개로 4가지입니다.
➜ 꺼낸 구슬의 개수가 짝수일 가능성은 '반반이다'이며, 수로 표현하면 $\frac{1}{2}$입니다.
(2) 회전판에서 4칸을 빨간색으로 색칠하면 꺼낸 구슬의 개수가 짝수일 가능성과 회전판을 돌릴 때 화살이 빨간색에 멈출 가능성이 같습니다.

8 (1) (4명의 나이의 합)=9+11+15+13=48(살)
(4명의 평균 나이)=48÷4=12(살)
(2) (5명의 평균 나이)=12+1=13(살)
(5명의 나이의 합)=13×5=65(살)
(3) (새로운 회원의 나이)=65-48=17(살)

우리 아이만
알고 싶은
상위권의
시작

최고를
경험해 본 아이의 성취감은
학년이 오를수록
빛을 발합니다

완 성

최고수준

초등수학

5-1

문제

* 1~6학년 / 학기 별 출시
동영상 강의 제공

정답은
이안에
있어!

어린이제품
안전 특별법에
의한 품질 표시

※ 주의
책 모서리에 다칠 수 있으니 주의하시기 바랍니다.
부주의로 인한 사고의 경우 책임지지 않습니다.
8세 미만의 어린이는 부모님의 관리가 필요합니다.
※ KC 마크는 이 제품이 공통안전기준에 적합하였음을 의미합니다.

● 해법수학 단원평가 마스터

● 월간 무등생평가

논술·한자교재

● YES 논술   1~6학년/총 24권

● 천재 NEW 한자능력검정시험 자격증 한번에 따기   8~5급(총 7권) / 4급~3급(총 2권)

영어교재

● READ ME
- Yellow 1~3   2~4학년(총 3권)
- Red 1~3   4~6학년(총 3권)

● Listening Pop   Level 1~3

● Grammar, ZAP!
- 입문   1, 2단계
- 기본   1~4단계
- 심화   1~4단계

● Grammar Tab   총 2권

● Let's Go to the English World!
- Conversation   1~5단계, 단계별 3권
- Phonics   총 4권

예비중 대비교재

● 천재 신입생 시리즈   수학 / 영어

● 천재 반편성 배치고사 기출 & 모의고사

월간교재

● NEW 해법수학   1~6학년

● 해법수학 단원평가 마스터   1~6학년 / 학기별

● 월간 무등생평가   1~6학년

수학리더를 더! 완벽하게 만들어주는
보충 자료를 받아보시겠습니까?

YES	NO

ACA에는 다~ 있다!
https://aca.chunjae.co.kr/